LA MÉDAILLE D'OR
POUR JESSIE

D1057443

Titres de la collection

55

LA MÉDAILLE D'OR POUR JESSIE

Quatre gardiennes fondent leur club

Ann M. Martin

Adapté de l'américain par
Marie-Claude Favreau

EH *Héritage*
jeunesse

Données de catalogage avant publication (Canada)

Martin, Ann M., 1955-

La médaille d'or pour Jessie

(Les Baby-sitters; 55)
Traduction de: Jessi's Gold Medal.
Pour les jeunes.

ISBN: 2-7625-8119-2

I. Titre. II. Collection: Martin, Ann M., 1955-
Les baby-sitters; 55.

PZ23.M37Mé 1995   j813'.54   C95-940570-4

Conception graphique de la couverture: Jocelyn Veillette

Jessi's Gold Medal
Copyright © 1992 Ann M. Martin
publié par Scholastic Inc., New York, N. Y.

Version française
© Les éditions Héritage inc. 1995
Tous droits réservés

Dépôts légaux: 2e trimestre 1995
Bibliothèque nationale du Québec
Bibliothèque nationale du Canada

ISBN: 2-7625-8119-2   Imprimé au Canada

LES ÉDITIONS HÉRITAGE INC.
300, rue Arran, Saint-Lambert (Québec) J4R 1K5
(514) 875-0327

L'auteure remercie chaleureusement Peter Lerangis pour l'aide qu'il lui a apportée lors de la préparation de ce livre.

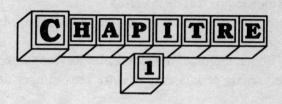

— Allons, mesdemoiselles ! lance madame Noëlle. *Tours jetés* !

Le cours de ballet tire à sa fin. Nous sommes toutes en nage. Madame aurait pu nous faire faire quelques *pliés* faciles, mais noooon ! Malgré la chaleur accablante et la fatigue, il nous faut tourner, sauter, tourner et sauter encore en faisant le tour du studio.

Si on réussit les *tours jetés* à la perfection, comme Mikhaïl Barichnikov (un de mes modèles !), on crée l'illusion de s'envoler. Mais, pour l'instant, les élèves du cours du mardi après-midi de madame Noëlle donnent plutôt l'impression de battre de l'aile.

Nous sommes alignées le long du mur. Madame Noëlle, le doigt prêt à appuyer sur le bouton du magnétophone, dit :

— Mademoiselle Raymond (ça, c'est moi !), veuillez commencer.

Les haut-parleurs crachent un air de valse. J'arrondis mon bras droit et je fais quelques pas vers la droite. Puis, en une fraction de seconde, mon corps virevolte, ma jambe droite quitte le sol, mon bras forme un arc vers l'avant... et je me mets à planer! (Peut-être pas comme Mikhaïl Barichnikov, mais je fais de mon mieux.) Et je recommence, et je recommence, m'élançant dans les airs sur chaque temps fort de la valse.

Lorsque j'ai fait un tour complet de la salle, Madame passe ses remarques:

— Bonne envolée, mademoiselle Raymond, très gracieuse... mais ne laissez pas votre bras tomber derrière vous.

— D'accord, dis-je en haletant.

Je me sens collante, et je n'ai qu'une seule envie: me laisser tomber par terre. Ce n'est pas l'air chaud et nauséabond que souffle le gros ventilateur qui pourra me rafraîchir. Pourtant, je suis merveilleusement bien. J'aurais même pu supporter une autre heure de cours. J'adore le ballet. Encore aujourd'hui, après sept ans de cours, je suis toujours aussi emballée en entrant dans le studio de danse. Certaines personnes sont des acteurs-nés, des athlètes-nés; moi, je suis une danseuse-née. Hum! ça doit vous sembler bien prétentieux! En fait, ce que je veux dire, c'est que rien au monde ne me rend plus heureuse que la danse. Et le hasard fait bien les choses: j'ai de très longues jambes qui portent naturellement vers l'extérieur (un gros avantage pour moi).

Je sais danser sur pointes et j'ai déjà interprété des premiers rôles, comme Swanilda dans *Coppélia* et la princesse Aurore dans *La Belle au bois dormant*. Mon rêve, c'est de devenir ballerine. Pourvu que je sois capable de supporter toutes ces années de travail acharné et la discipline (le mot préféré de Madame)! Le reste de ma vie, je devrai :

1. Surveiller sans relâche mon alimentation. (Avez-vous déjà vu une ballerine obèse ?)
2. Suivre le plus de cours possible, chaque semaine.
3. Faire continuellement des exercices d'assouplissement pour garder mes muscles en forme.
4. Me familiariser avec les ballets que je pourrais danser un jour.

Pas facile, hein ? Mon père dit qu'être ballerine, c'est comme être dans l'armée — sauf que dans l'armée, on ne porte pas de tutu.

Soit dit en passant, mon père a beaucoup d'humour. C'est bien pratique quand, après une dure journée de travail, il vient me chercher en voiture à la sortie du cours. C'est justement ce qu'il fait ce mardi-là, tandis que j'exécute mes *tours jetés*.

Madame regarde une autre élève sauter et scande : « En mesure… En mesure… » Je fais quelques rapides exercices d'assouplissement à la barre, puis je cours me changer au vestiaire.

J'enfile mon survêtement, je fourre mon collant et mon maillot dans mon sac, et je me hâte d'aller rejoindre mon père.

— Allô, ma chouette ! dit-il avec un grand sourire. Comment ça s'est passé, aujourd'hui ?

— Très bien. Et toi, au bureau ?

— Ne m'en parle pas ! répond mon père en riant.

Ces derniers temps, nous nous disons toujours la même chose après mon cours de ballet. Ce que j'aime de papa, c'est son rire tonitruant.

Nous habitons Nouville, une jolie petite ville. Remarquez, ce n'est pas l'impression que j'ai eue au début. Nous sommes des Noirs et Nouville compte très peu de familles de couleur. Au New Jersey, où nous vivions avant, les Noirs sont plus nombreux et bien intégrés à la communauté.

À Nouville, c'est différent. Les premiers jours, le choc a été terrible. Certaines personnes nous détestaient, juste à cause de la couleur de notre peau. Ils disaient des choses méchantes et stupides sur nous. Je voulais retourner au New Jersey. Mais papa et maman étaient persuadés que les choses finiraient par s'arranger, et c'est ce qui s'est produit.

D'abord, les gens ont fini par s'habituer à nous. Ensuite, j'ai rencontré Marjorie Picard, qui est maintenant ma meilleure amie. Et pour finir, Marjorie et moi sommes devenues membres du Club des baby-sitters. (Je vous reparlerai du Club plus loin.)

Tout en conduisant, mon père s'éponge le front. Il est trempé. Ce n'est encore que le printemps, et pourtant on se croirait en plein été.

Nous apercevons un panneau-réclame montrant une nageuse olympique. Elle a l'air si bien, malgré l'effort qu'elle fournit !

— Si on mettait le climatiseur en marche ? demande papa qui a dû se faire la même réflexion.

— Oh ! oui !

Il paraît que l'air climatisé est mauvais pour les danseurs, parce qu'il peut raidir les muscles, mais je dois avouer que, quand il fait très chaud, j'adore ça.

Notre maison se trouve dans une rue ombragée, bordée de grands érables. Pourtant, quand nous sortons de la voiture, c'est le Sahara! On étouffe presque, tant l'air est chaud et humide.

— Salut, papa! Salut, Jessie! crie ma sœur Becca derrière la porte moustiquaire.

Elle sort en courant, vêtue d'un maillot de bain aux curieux motifs multicolores. (Becca a huit ans, et elle a jugé que son maillot blanc serait plus joli si elle le décorait avec des crayons feutres.)

— On peut jouer sous l'arroseur? demande-t-elle.

— Papa-eau!

Ça, c'est mon petit frère Jaja. Il a presque un an et demi. Il marche depuis quelques mois déjà, mais il commence à peine à parler.

Tante Cécile apparaît soudain à la porte, des sandalettes à la main.

— Jean-Philippe, viens mettre tes sandalettes!

Jaja s'appelle en réalité Jean-Philippe, mais tout le monde l'appelle Jaja, sauf tante Cécile, quelquefois. Tante Cécile est la sœur de mon père. Elle est venue habiter avec nous pour s'occuper de Jaja quand maman a recommencé à travailler. Elle est parfois difficile à supporter.

— S'il te plaît! supplie Becca en tirant sur le pantalon de papa. Maman a dit oui!

— Ah! bon? fait papa.

— J'ai dit que j'étais d'accord si papa l'était aussi! lance la voix de maman par la fenêtre. Et si Jessie accepte de vous surveiller!

— S'il te plaît! répète Becca à papa avant de se tourner vers moi. Tu vas nous surveiller, hein, Jessie?

— Plaît! fait Jaja en s'avançant vers papa, ses sandalettes aux pieds.

Papa prend Becca et Jaja dans ses bras.

— Hum. Je ne sais pas. Qu'en penses-tu, grande sœur ? me demande-t-il en m'adressant un clin d'œil.

— Euh… j'ai beaucoup de devoirs à faire, dis-je en gardant mon sérieux. En voyant la mine déconfite de Becca, j'ajoute rapidement : Mais j'accepte de vous surveiller quelques minutes.

— Youpi ! Youpi !

Papa pose par terre Becca qui court aussitôt vers l'arrière de la maison. Papa la suit avec Jaja dans les bras et je lui emboîte le pas. Becca sort l'arrosoir automatique du garage et je l'aide à l'ajuster au tuyau d'arrosage. Ensuite, papa, Becca et Jaja déroulent le tuyau tandis que je reste près du robinet.

Quand ils ont terminé, Becca crie : « O.K. ! » et j'ouvre le robinet. Une gerbe d'eau jaillit de l'arroseur et asperge Becca et Jaja qui se mettent à hurler de plaisir.

— On ferme dans quinze minutes, d'accord ? dit papa, un grand sourire aux lèvres. Je vais me changer et aider maman et Cécile.

— D'accord.

Je m'étends sur une chaise longue et je regarde mon frère et ma sœur s'en donner à cœur joie. Je songe à l'été qui vient. La chaleur d'aujourd'hui n'est qu'un avant-goût de ce qui nous attend bientôt. En pensée, je revois la nageuse du panneau publicitaire que nous avons vu en venant et j'ai alors une idée.

Une piscine !

Pourquoi pas ? Un arroseur, c'est bien agréable, mais une piscine c'est encore mieux. On y plonge quand le cœur nous en dit et on peut même y faire des exercices tout en se rafraîchissant. Et quel merveilleux prétexte pour inviter les amis ! Notre cour a justement la taille idéale.

J'ai pourtant l'impression que mes parents vont être difficiles à convaincre… Soudain, je me rappelle une technique formidable qu'a imaginée Marjorie. Elle s'en est servi pour persuader ses parents de lui laisser suivre des cours d'équitation, et ç'a marché !

Je décide d'expérimenter ma version personnelle de sa technique le soir même.

— Quelle délicieuse casserole de fruits de mer, maman ! m'exclamé-je au souper.

Étape numéro un : complimenter les cuisiniers pour les mettre dans de bonnes dispositions.

— Je suis bien contente que tu aimes ça, dit maman. C'est ton père qui a choisi les épices.

— Mmmmm, exquis. Parfait pour une journée chaude. Je peux en reprendre ? (C'est l'étape numéro deux : parler de la température pour aborder l'étape finale — la piscine.)

— Merci, dit papa en riant. D'habitude, tu n'es pas aussi enthousiaste, sauf quand on va manger une pizza au restaurant. Tu as quelque chose à nous demander, n'est-ce pas ? fait-il en levant les sourcils.

— Pardon ? dis-je.

— Oh ! c'est juste une intuition, comme ça. Mais corrige-moi si j'ai tort.

Hum. Adieu étape numéro trois ! C'est quand même incroyable, papa lit dans mes pensées !

— Euh… Je songeais seulement à la chaleur qu'il fait déjà et au long été qui s'en vient. Va falloir trouver un endroit pour se rafraîchir… C'est vrai qu'on a une grande cour et un arroseur, mais on pourrait avoir quelque chose qui serait utile à tout le monde. Euh… une piscine, par exemple…

Voilà. C'est dit. Tante Cécile pousse un de ses habituels petits gloussements ironiques. Mais Becca, les yeux brillants, s'exclame :

— Une piscine ! Oh ! ce serait fantastique !

Jaja applaudit et s'agite dans sa chaise haute, même s'il ne sait pas trop de quoi on parle.

Je me hâte d'ajouter :

— Après tout, on va passer presque tout l'été à la maison et je n'aurai pas grand-chose à faire, à part suivre mes cours de ballet et regarder les Jeux olympiques à la télé. Toi et papa pourriez vous détendre dans la piscine et on pourrait apprendre à nager à Jaja…

Je jette un coup d'œil à maman et à papa. Ouf ! ils n'ont pas l'air trop ébranlés par mon idée.

— Eh bien, figure-toi qu'on en a déjà discuté, dit maman.

— Youpi ! s'écrie Becca.

— Malheureusement, une piscine, c'est cher, fait remarquer papa. Il faut l'acheter, l'installer et aussi l'entretenir. Et nous n'en avons pas les moyens. À moins que vous ne vous passiez de nourriture et de vêtements pendant un an.

Bien qu'il ait dit ça en souriant, Becca ne sait pas si elle doit le croire ou non.

— Je peux participer avec les sous que je gagne en gardant, proposé-je.

— C'est bien gentil, Jessie, dit maman. Mais tu en as besoin pour d'autres choses. D'ailleurs, je ne pense pas que ça suffirait.

— Demande à ton patron de te donner plus d'argent ! suggère candidement Becca.

Papa et maman éclatent de rire.

— Tu vas venir avec nous pour le lui demander? dit papa.

Oh! la la! je crois que mon projet vient de tomber à l'eau. Quand mes parents disent que c'est trop cher, il n'y a plus aucun espoir.

— Bon, c'est seulement une idée qui m'est venue…, dis-je en essayant de ne pas trop laisser paraître ma déception.

— Une bonne idée, convient maman. Mais vous savez, vous pouvez aller vous baigner à la piscine du Centre communautaire.

— Il y en a deux ou trois, je pense, ajoute papa. Et l'une d'elles est aussi grande qu'une piscine olympique. On y donne même des cours de natation. C'est encore mieux qu'une piscine dans la cour, non?

Quelle idée formidable! Je n'avais pas du tout pensé à ça. Je sais nager, mais pas comme une sirène. Rien qu'à l'idée de suivre des cours, je me sens soudain toute revigorée.

— Vous nous permettez de nous inscrire? demandé-je.

— Pourquoi pas? répond papa. Je téléphonerai demain pour obtenir une carte de membre pour toute la famille.

— Youpi! fait Becca.

— Yiii! fait Jaja.

— Ça va mieux, ma chouette? me demande maman.

Je fais oui de la tête. Ce n'est pas tout à fait ce que j'avais en tête au début, mais plus j'y pense, plus je trouve l'idée formidable. Finalement, je crois que je vais passer un été extraordinaire!

CHAPITRE 2

— À l'ordre ! lance Christine Thomas quand l'horloge marque dix-sept heures trente pile.

Non, nous ne sommes pas au tribunal, mais dans la chambre de Claudia Kishi. C'est mercredi, le lendemain de la discussion au sujet de la piscine. Christine occupe son fauteuil de présidente, la visière sens devant derrière. Claudia est installée sur son lit, les jambes croisées, à côté de Sophie Ménard et Anne-Marie Lapierre. Diane Dubreuil a pris place sur la chaise devant le bureau de Claudia, et Marjorie Picard et moi sommes assises sur le plancher.

Comme tous les mercredis à dix-sept heures trente, c'est la réunion du Club des baby-sitters. (Nous nous réunissons aussi le lundi et le vendredi, à la même heure.) Le moment est venu de vous parler de ce club.

Comme son nom l'indique, le Club des baby-sitters est un club de gardiennes d'enfants. Nous sommes des gardiennes expérimentées, et en plus, de grandes amies. Voici comment fonctionne le CBS : c'est pratiquement une entreprise ; nos réunions durent une demi-heure et les parents qui ont besoin de nos services peuvent nous joindre à ce moment-là. Les gardes sont confiées aux membres selon leur disponibilité. Nous essayons de nous les partager le plus équitablement possible.

Le système fonctionne très bien et tout le monde y trouve son compte. D'un seul coup de téléphone, les parents peuvent joindre sept excellentes gardiennes et il y en a presque toujours une de libre (nous avons aussi deux membres associés à qui nous faisons appel quand nous sommes débordées). De notre côté, nous sommes assurées d'avoir toujours du travail.

À présent, la plupart des parents des environs nous connaissent et ils parlent de nous à leurs amis. Au début, nous devions faire de la publicité (distribuer des prospectus, par exemple), et encore aujourd'hui, il nous arrive d'en faire. C'est Christine (notre présidente) qui nous y oblige.

Christine exige aussi qu'après chacune de nos gardes, nous écrivions nos commentaires dans le journal de bord du Club. Même si nous rechignons chaque fois qu'elle nous le rappelle, nous savons que c'est très utile.

Que faisons-nous entre les appels ? C'est là que l'aspect « club » prend tout son sens. Comme nous sommes toutes de très bonnes amies, nous avons toujours une foule de sujets dont nous pouvons discuter. Nous essayons aussi d'élaborer de nouveaux projets — le plus souvent à partir des idées de Christine.

Comme vous l'avez peut-être constaté, il arrive à Christine d'être plutôt autoritaire, mais elle est bourrée d'idées. Son cerveau absorbe les idées comme une éponge absorbe l'eau. C'est une éponge à idées ! Pendant les réunions, elle n'a qu'à presser l'éponge et les idées pleuvent. Le plus extraordinaire, c'est que la plupart sont excellentes ! Par exemple, quand elle s'est aperçue que plusieurs enfants, trop jeunes, ne pouvaient se joindre à l'équipe régulière de balle molle, elle les a regroupés et a créé sa propre équipe, les Cogneurs.

Une autre de ses idées lumineuses : les trousses à surprises. Ce sont de simples boîtes décorées et remplies de choses que nous n'utilisons plus : des jeux, des livres et des jouets usagés, ainsi que du matériel de bricolage. Les boîtes à surprises ont un succès fou, même auprès des enfants très difficiles. Pour les idées qui marchent, on peut faire confiance à Christine !

D'ailleurs, qui a eu l'idée du Club des baby-sitters ? C'est Christine ! Tout a commencé un jour que sa mère tentait désespérément de trouver une gardienne. À cette époque-là, madame Thomas était seule pour élever Christine et ses trois frères. Pendant qu'elle faisait appel sur appel sans succès, Christine s'est mise à réfléchir. Pourquoi ne pas avoir un seul numéro central, s'est-elle demandé, comme le font les agences de gardiennes ? C'est ainsi qu'est né le Club.

Au cas où ça vous intéresse, la mère de Christine n'est plus toute seule. Laissez-moi vous raconter un véritable conte de fées.

Il y a très longtemps, Christine vivait avec son père, sa mère et ses frères aînés, Charles et Sébastien. Alors qu'elle avait environ six ans, deux événements se sont produits : d'abord, la naissance de son frère David, puis le départ de son père. (Il est parti pour la Californie, comme ça, sans la moindre explication, et il a divorcé par la suite pour se remarier avec quelqu'un de là-bas. Pas besoin de vous dire vous dire que Christine n'aime pas parler de lui.) Après une période difficile, madame Thomas s'est arrangée pour trouver du travail et s'occuper de ses quatre enfants. Quelques années ont passé, puis elle a commencé à fréquenter un homme très gentil, Guillaume Marchand, divorcé lui aussi et père de deux enfants, Karen et André. Guillaume est millionnaire et habite un manoir à l'autre bout de la ville. Madame Thomas et Guillaume se sont mariés, les Thomas sont allés s'installer au manoir et tout le monde est heureux depuis ce temps !

N'est-ce pas assez romanesque ? Et tout est vrai, même le manoir ! La famille s'est agrandie avec l'arrivée d'Émilie, une petite Vietnamienne que les Thomas-Marchand ont adoptée, et celle de Nanie, la grand-mère de Christine. Font également partie de la maison un chien, un chat et deux poissons rouges. Karen et André ne passent chez leur père qu'une fin de semaine sur deux, mais même quand ils sont présents, personne ne se sent à l'étroit dans l'immense demeure.

Le manoir est loin de chez Claudia, mais Christine se fait reconduire en voiture aux réunions par son frère Charles (qui a dix-sept ans).

Ce n'est pas pour rien que la chambre de Claudia nous sert de lieu de rencontre. Elle est la seule à posséder une ligne téléphonique privée. Mais il faut que je vous décrive Claudia. D'une certaine façon, elle est le contraire de Christine. Alors que celle-ci est hyper-pratique, Claudia, elle, est une véritable artiste. Elle peint, sculpte, dessine et crée ses propres bijoux. Tandis que Christine collectionne les idées, Claudia collectionne… les friandises. Il y en a tout un stock dissimulé un peu partout dans sa chambre. Et ce n'est pas le choix qui manque ! Si c'est mauvais pour la santé, on peut être sûr que Claudia en a en réserve quelque part ! (Non, les réunions du CBS ne sont pas très diététiques.) Claudia et Christine sont aussi différentes par leur style. Christine est petite et un peu garçon manqué, elle porte des jeans et des chaussures de sport à longueur d'année. Elle ne se maquille jamais et laisse ses cheveux tomber librement dans son dos. Claudia, pour sa part, est éblouissante. Elle a de longs cheveux noirs et soyeux et de grands yeux en amande (elle est d'origine japonaise). Elle a le teint frais et sain, malgré tout ce qu'elle ingurgite, et ses vêtements originaux lui donnent une allure étourdissante.

Aujourd'hui, comme d'habitude, elle fouille sous son matelas à la recherche de friandises.

— Voyons voir, il doit bien y en avoir quelque part, dit-elle en tirant un roman d'Agatha Christie.

Les romans policiers sont une autre de ses passions. Elle doit les cacher (tout comme les friandises), parce que ses parents n'approuvent pas ses goûts en matière de lecture. Ils sont très sévères. Comble de malheur, Josée, la sœur aînée de Claudia, est un vrai génie qui fait toujours tout à la perfection. Ça n'arrange rien.

—Les voici ! s'écrie Claudia en retirant de sous l'oreiller un sac de caramels. Qui en veut ?

Claudia est notre vice-présidente, surtout parce que nous utilisons sa chambre et son téléphone. Elle n'a pas de responsabilité particulière, contrairement à Anne-Marie.

Anne-Marie est la secrétaire du club. Elle tient à jour l'agenda, qui contient la liste de nos clients, leurs adresses et leurs numéros de téléphone, et un calendrier de nos engagements. Dès qu'un client téléphone, Anne-Marie consulte l'agenda pour savoir laquelle d'entre nous pourra prendre le travail. Elle doit tenir compte de toutes les gardes déjà prévues, évidemment, mais aussi de mes cours de ballet, des rendez-vous de Marjorie chez l'orthodontiste, des cours d'art de Claudia… Tout autre qu'Anne-Marie nagerait dans la confusion la plus totale. Mais pour elle, c'est du gâteau. Elle est merveilleusement bien organisée. Elle doit tenir ça de son père, le roi de l'organisation.

Personne ne sait comment était la mère d'Anne-Marie puisqu'elle est décédée quand celle-ci était encore bébé. Peut-être madame Lapierre était-elle attentive, timide et sensible. En tout cas, c'est comme ça qu'est Anne-Marie. Un rien la fait pleurer — un film triste, la mort d'une personne célèbre… Diane nous a même dit qu'en janvier dernier, Anne-Marie avait failli fondre en larmes en apercevant un sapin de Noël dans une poubelle. C'est ce qui s'appelle être hyper-sensible, non ?

Savez-vous qui est la meilleure amie d'Anne-Marie la Timide ? Nulle autre que Christine la Langue-bien-pendue. Physiquement, elles se ressemblent. Comme Christine, Anne-Marie est petite et elle a les cheveux et les yeux bruns. Par contre, elle n'a rien d'un garçon manqué. Elle a plutôt un style «bon chic, bon genre». Jusqu'en première secondaire, elle a dû porter des nattes et des vêtements de petite fille, parce que son père n'avait pas encore compris qu'elle avait grandi et qu'elle pouvait avoir ses goûts propres. Heureusement qu'il s'est remarié ! C'est à ce moment-là qu'il s'est assoupli et qu'Anne-Marie a eu enfin la «permission» de vieillir. C'est la seule d'entre nous qui ait un petit ami, le beau Louis Brunet.

Oh ! je ne vous ai pas dit avec qui monsieur Lapierre s'est remarié ! Avec la mère de Diane Dubreuil ! Une autre histoire qui tient du roman… Monsieur Lapierre et madame Dubreuil ont tous deux grandi à Nouville. Adolescents, ils sortaient même ensemble, mais ils ont fini par se marier chacun de son côté. Les Dubreuil ont habité la Californie pendant des années, puis les parents de Diane ont divorcé. Madame Dubreuil est revenue à Nouville avec Diane et son jeune frère, Julien (qui, par la suite, est retourné vivre en Californie avec son père). Ils se sont installés dans une grande et vieille maison de ferme. Monsieur Lapierre et madame Dubreuil se sont alors revus, sont tombés amoureux l'un de l'autre de nouveau et se sont mariés ! Anne-Marie et son père ont emménagé chez Diane et depuis ce jour, c'est le bonheur, ou presque.

Diane a les cheveux longs et blonds, les yeux bleus et des taches de rousseur. Elle est très individualiste et fait ce qu'elle veut. Par exemple, elle ne mange que des aliments-santé : légumes, fruits, tofu, grains entiers, germes de soja… Elle n'est même pas tentée par les friandises de Claudia. Elle préfère le blé entier, les biscuits aux graines de sésame sans sel… bref, ce genre de régime étrange qui conviendrait peut-être parfaitement à une ballerine, mais auquel je ne pourrais jamais m'astreindre ! Je surveille mon poids, mais entre le hamburger et la salade au tofu, je n'ai aucune hésitation : je choisis le hamburger.

Diane est membre suppléante, c'est-à-dire qu'elle peut remplir les fonctions de l'une ou l'autre d'entre nous, s'il y a lieu. Par exemple, quand Sophie est retournée vivre à Toronto quelque temps, Diane l'a remplacée au poste de trésorière. À cette époque, comme le club avait un membre de moins, devinez ce qui s'est passé… Marjorie et moi, nous nous sommes jointes au Club ! (Au départ, nous n'en faisions pas partie.) Puis Sophie est revenue et a repris son poste de trésorière (au grand plaisir de Diane !), mais Marjorie et moi sommes demeurées membres.

Sophie vient de Toronto et elle connaît la ville comme le fond de sa poche. À présent, son père vit là-bas et sa mère ici (ils ont divorcé).

Tout comme Diane, Sophie a de longs cheveux blonds, et comme Claudia, elle sait s'habiller, tout en ayant un style bien à elle. Elle est sophistiquée, intelligente, ouverte, drôle, et folle des garçons. Elle est malheureusement diabétique, ce qui veut dire que son organisme ne parvient pas à équilibrer le niveau de sucre dans son sang. Elle ne peut pas manger de sucre et elle doit se donner une injection d'insuline tous les jours. Imaginez un peu ! Je ne sais pas si je serais capable d'en faire autant !

Sophie est aussi géniale en maths. C'est pour ça qu'elle est notre trésorière (la tâche la plus ingrate, d'après moi). Chaque lundi, elle doit recueillir nos cotisations malgré nos gémissements. Avec cet argent, elle dédommage Charles Thomas qui conduit Christine aux réunions, et elle règle une partie des factures de téléphone de Claudia. Elle doit aussi veiller à renouveler le matériel des trousses à surprises au besoin. S'il y a un surplus, on se paye une petite fête à la pizza ou un autre divertissement.

J'ai parlé plus tôt de nos deux membres associés. Le premier est Louis Brunet (le petit ami d'Anne-Marie), et l'autre, Chantal Chrétien.

Mais il y a un autre membre que je gardais pour la fin.

C'est Marjorie Picard, ma meilleure amie. Marjorie est

gentille et intelligente et elle adore les enfants. (Si elle ne les aimait pas, elle aurait un sérieux problème, parce qu'elle a elle-même sept jeunes frères et sœurs!) Physiquement, nous sommes très différentes l'une de l'autre. Elle est blanche, elle a les cheveux roux, elle porte des lunettes et un appareil orthodontique. Mais nous avons tout de même certains points en commun. D'abord, nous sommes toutes deux membres juniors du Club, étant donné que nous avons deux ans de moins que les autres. (Nous faisons tout ce qu'elles font, sauf garder le soir.) Et puis, nous sommes toutes deux les aînées de nos familles, mais nos parents continuent pourtant à nous traiter comme des bébés. Par exemple, maman et papa ne me laisseraient jamais m'habiller avec des vêtements aussi audacieux que ceux de Claudia, ni me faire percer deux trous à chaque oreille comme Diane. J'ai eu le droit à un trou par oreille, mais seulement après des années de supplications. Pour Marjorie, c'est encore pire : elle déteste porter des lunettes, mais ses parents ne veulent pas entendre parler de verres de contact.

Quoi encore… Ah! oui! toutes les deux, nous aimons lire, surtout les histoires de chevaux. Nous avons aussi un côté créatif : moi, en danse, et Marjorie en écriture et en dessin. Certaines de ses histoires sont meilleures que celles qu'on trouve sur le marché! Je suis sûre qu'elle va faire carrière comme auteure et illustratrice de romans pour enfants.

Bon, revenons à notre réunion.

Nous nous gavons de caramels (sauf Diane et Sophie qui mangent des galettes de riz). Le téléphone ne sonne pas et on s'entend mâcher.

On entend aussi le crayon de Claudia. Elle dessine des cercles entrelacés comme le symbole olympique.

— Qu'est-ce que tu fais ? dis-je.

— J'essaie de trouver un logo pour le Festival sportif de l'école. C'est le professeur d'éducation physique qui me l'a demandé.

Aujourd'hui, à l'école, on a annoncé le tenue prochaine du Festival sportif, un événement annuel qui comprend surtout des épreuves de natation et d'athlétisme sur piste.

— Pfff ! fait Anne-Marie, d'un air ennuyé.

— Pardon ! s'indigne Claudia en posant les poings sur ses hanches.

Anne-Marie rougit.

— Oh ! je ne parlais pas de ton dessin ! Je pensais au prof d'éducation physique. Je hais l'éducation physique.

— Mais tu participes au festival, non ? demande Diane.

— Pas question ! C'est encore pire que l'éducation physique. Il y a trop de compétition et d'ailleurs, en sport, je suis nulle.

— Oui, mais le festival, c'est seulement pour s'amuser, rétorque Christine. Il y a des prix, c'est vrai, mais l'important c'est que tout le monde participe.

Claudia lève les yeux de sa feuille de papier.

— Moi, je vais peut-être m'inscrire, dit-elle. Si ce n'est pas trop intimidant.

— Moi, je m'inscris à une des épreuves d'athlétisme, c'est sûr ! fait Christine. Mais je ne sais pas encore laquelle.

— Moi, je veux faire quelque chose de différent, dit Diane. Comme le lancer du poids ou le saut à la perche.

Sophie hoche la tête.

— Moi, je vais participer aux épreuves de natation.

— Oui, ça semble amusant, dis-je tout en songeant aux cours que je dois suivre cet été à la piscine municipale. Je vais peut-être faire comme toi.

Marjorie ne dit rien. Elle n'a jamais beaucoup aimé le sport et on voit bien que le Festival sportif est la dernière chose dont elle aurait voulu parler.

— Ooooh! fait Christine, soudain. J'ai oublié de vous raconter ce qui s'est passé après le dîner!

— Quoi?

Christine bondit presque de sa chaise.

— Après l'annonce du festival, Alain Grenon et ses amis en ont parlé. Alain s'est mis à agir stupidement, comme d'habitude, et il a prétendu qu'il pourrait me battre à la course n'importe quand!

(Alain Grenon est le garçon le plus bébé de l'école. Il est en deuxième secondaire, mais il agit comme si son cerveau était bloqué depuis le primaire. Comble de malchance, il s'est entiché de Christine.)

— Qu'est-ce que tu vas faire? demande Sophie.

Christine sourit fièrement.

— J'ai relevé le défi et vous allez m'appuyer!

— Compte sur nous! lance Diane.

À ce moment, le téléphone se met à sonner pour la première fois.

— Bonjour, ici le Club des baby-sitters! dit Claudia en décrochant.

La partie «club» de la réunion est terminée et c'est la partie «baby-sitters» qui commence.

CHAPITRE 3

Mardi. Il fait toujours aussi chaud. Assises dans les gradins du gymnase, Marjorie et moi bavardons. Marjorie n'aime pas plus le sport qu'Anne-Marie. Ce n'est pas une mauvaise athlète, mais elle est trop timide. Je pense qu'elle se sent plus à l'aise derrière un pupitre avec un papier et un stylo.

Donc, nous bavardons, quand mademoiselle Pérusse surgit tout à coup de son bureau, un bloc-notes à la main, et lance :

— Bon ! Qui est absente ?

— Pas moi ! répond Maya Condos.

C'est peut-être la centième fois cette année que quelqu'un répond de la sorte, mais chaque fois tout le monde rit quand même.

Mademoiselle Pérusse rit avec nous, puis prend les présences. Quand elle a terminé, elle nous dit :

— Les filles, j'ai une surprise pour vous. C'est aujourd'hui notre dernier cours régulier.

Nos cris de joie se répercutent entre les quatre murs.

— J'espère que vous avez toutes un maillot de bain, continue notre professeure, parce que dès la semaine prochaine, je vous emmène à la piscine du Centre communautaire où vous aurez des cours de natation.

À les entendre, les élèves sont partagées entre la joie et la déception. Pour ma part, je suis ravie. Des cours gratuits? Super! Comme ça, quand l'été arrivera, je pourrai peut-être m'inscrire à un cours intermédiaire.

Marjorie n'est pas aussi enthousiaste. Après le cours, qui s'est déroulé à l'extérieur, nous rentrons au gymnase, ruisselantes, à bout de souffle. Marjorie s'essuie le front et dit:

— En tout cas, il y a un bon côté à ce que nous allions à la piscine du Centre.

— Ah! Lequel?

— Il faut à peu près cinq minutes pour s'y rendre et cinq autres pour en revenir. Ça fait dix minutes de cours en moins!

J'éclate de rire.

— Marjorie, tu es trop négative! Ça va être fantastique! Ça nous donne l'occasion de sortir de l'école et d'apprendre quelque chose d'amusant.

— Je sais déjà assez bien nager.

— Il y aura peut-être des cours plus avancés. Tu pourras peut-être t'entraîner pour le Festival sportif.

Mais, me rappelant soudain la mine de Marjorie quand nous avons parlé du festival à la réunion du CBS, je m'empresse d'ajouter:

— Si tu as décidé de participer aux épreuves, évidemment…

— Tout le monde y participe, n'est-ce pas? fait Marjorie. Je veux dire toutes les filles du club.

— Pas Anne-Marie.

— Mais toi, oui.

— Oui…

— Bon, dit Marjorie en haussant les épaules, alors je vais y participer moi aussi.

— Parfait !

Jamais je n'ai vu Marjorie si sombre, mais je ne fais aucun commentaire. Comment lui en vouloir ? Avec la chaleur qu'il fait, tout le monde a une tête d'enterrement.

Au cours de la fin de semaine, le temps fraîchit un peu, et mardi, le ciel est bleu, l'air est sec et une petite brise souffle. C'est notre premier cours d'éducation physique au Centre communautaire.

Il y a trois piscines : une de taille olympique, une pour les petits et une réservée au plongeon. Mademoiselle Pérusse nous a dit que nous allions utiliser la grande et je suis emballée.

— J'ai tellement hâte ! dis-je à Marjorie tandis que notre classe se dirige vers le vestiaire des filles.

Marjorie, les sourcils froncés, ne m'écoute même pas.

— Qu'est-ce que c'est que ça ? fait-elle.

— Quoi ?

— Ce bruit ! Les garçons sont ici ?

En effet, de l'autre côté du comptoir du casse-croûte, j'aperçois la porte du vestiaire des garçons d'où sortent des voix confuses.

— J'imagine qu'on partage la piscine avec eux, dis-je.

— Oh ! non ! s'écrie Marjorie. On ne nous avait pas dit ça !

— Mais qu'est-ce que ça peut faire ?

— Tu rigoles ? J'ai apporté le plus moche et le plus bébé de tous les maillots du monde !

Elle brandit son maillot de bain devant moi et je dois admettre qu'elle n'a pas exagéré. C'est un vieux maillot démodé, usé, et avec une jupette en plus !

— Ouille ! dis-je en essayant de ne pas pouffer de rire.

— Ce n'est pas drôle, bougonne Marjorie. Je vais avoir l'air ridicule. C'est injuste !

Tandis que nous nous changeons, j'essaie de lui remonter le moral, mais elle continue de faire la tête. Pour finir, j'accepte de me tenir entre elle et les garçons pour leur boucher la vue. Ça la calme un peu.

Nous nous dirigeons donc vers la piscine, Marjorie se servant de moi comme écran. La tête rentrée dans les épaules, les jambes fléchies, elle observe les garçons par-dessus mon épaule.

— Je me sens tellement mal à l'aise ! dit-elle.

Les garçons sont à un bout de la piscine et les filles à l'autre. Les garçons font semblant de ne pas nous voir, mais je remarque un ou deux petits curieux qui lorgnent de notre côté.

— Euh, tu sais, Marjorie, j'ai l'impression que tu attires encore plus l'attention en agissant comme tu le fais.

— Je ne veux pas qu'ils me voient ! chuchote-t-elle.

La voix de mademoiselle Pérusse résonne derrière nous.

— Bon, les filles, alignez-vous sur le bord de la piscine !

À présent, nous faisons carrément face aux garçons. Quelques-uns se parlent à l'oreille et rigolent. Marjorie a l'air de vouloir rentrer sous terre. Pour faire rire ses copains, Bernard Saint-Onge, un vrai débile, fait une imitation ridicule d'une fille qui marche en balançant les hanches.

— Saint-Onge, venez ici ! crie le professeur des garçons.

— Ils sont tellement bébés ! murmure Marjorie.

— Tu as raison.

— Je gèle ! Regarde ! fait-elle en tendant son bras pour me montrer qu'elle a la chair de poule.

— Oui, il fait plutôt frais.

— On ne devrait pas se mouiller les cheveux, on pourrait attraper une pneumonie et en mourir !

— Marjorie, je ne pense pas que…

La voix de notre professeure nous interrompt.

— Bon. Je sais que vous devez toutes être de calibre différent en natation, dit-elle. Aujourd'hui, je vais vous faire passer un petit test et je diviserai ensuite la classe en groupes. Inutile de paniquer. Procédons par ordre alphabétique…

Marjorie reste immobile, le regard fixe. Pauvre elle !

Une à une, nous passons le test. Quand vient son tour, Marjorie plonge en douceur dans l'eau et exécute très bien toutes les nages que lui demande mademoiselle Pérusse.

— Bravo ! m'exclamé-je tandis qu'elle sort de la piscine.

— Merci.

Ah ! enfin un sourire ! Elle commence à se détendre.

— Jessie ? fait mademoiselle Pérusse. C'est à ton tour.

Je me rends soudain compte qu'à force de me préoccuper de Marjorie, j'ai oublié de penser à moi. Je ne nage pas très bien. De quoi vais-je avoir l'air ?

Je plonge et suis ce que me dit mademoiselle Pérusse (la même chose que Marjorie). Je fais de mon mieux, lentement, avec attention. À un certain moment, je remarque que mademoiselle Pérusse parle à l'oreille d'une autre femme qui m'observe en hochant la tête.

« C'est ça ! me dis-je. Elles doivent se demander dans quel groupe elles vont bien pouvoir classer une nullité comme moi ! »

Après le test, mademoiselle Pérusse me prend à part et me dit :

— Jessie, viens me voir après le cours, d'accord ?

— D'accord.

Oh ! oh ! je suis tellement gauche qu'elle se croit sans doute obligée de me donner des leçons particulières !

C'est à mon tour de me sentir mal à l'aise. Je m'assois à côté de Marjorie. Nous n'échangeons pas une parole.

À la fin du cours, je vais rejoindre mademoiselle Pérusse. L'autre femme de tantôt est avec elle. Elle est mince, elle a les cheveux blonds coupés court et elle sourit.

— Jessie, je te présente mademoiselle Corbeil.

Celle-ci me tend la main.

— Je t'ai regardée nager, dit-elle. As-tu déjà suivi des cours de danse ?

Ce n'est pas du tout la question à laquelle je m'attendais.

— Euh… je fais du ballet.

Le sourire de mademoiselle Corbeil s'élargit.

— C'est bien ce que je pensais. Je l'aurais parié, juste à voir tes mouvements gracieux et très expressifs.

— Merci.

Où veut-elle en venir ?

— Jessie… as-tu déjà pensé faire de la nage synchronisée ? dit-elle, l'air tout à fait sérieux.

— Euh…

— Tu ne sais pas ce que c'est ? dit mademoiselle Corbeil en éclatant de rire. Ça ne fait rien. La plupart des filles sont comme toi. Tu vois, je dirige ici un programme de nage synchronisée. Le groupe se compose de filles de tous les âges et nous faisons des numéros de danse dans l'eau. Je suis à la recherche de bonnes nageuses, mais j'ai surtout besoin de filles qui savent se mouvoir gracieusement. Avec ton expérience de ballerine, tu pourrais m'être très utile.

Je regarde mademoiselle Pérusse, puis mademoiselle Corbeil.

— Euh… ça m'intéresse, dis-je. Quand ont lieu les cours ?

— À la quatrième période, répond mademoiselle Corbeil. Juste avant celle-ci.

— Mais c'est ma période de dîner, dis-je, un peu déçue.

— Ce n'est pas bien grave, intervient mademoiselle Pérusse. Tu pourrais manger pendant la cinquième période, plutôt que d'assister au cours d'éducation physique. Je pense que je n'aurai aucun mal à convaincre la direction. Si tu es d'accord, évidemment.

Danser tout en nageant… et dispensée des cours d'éducation physique ? C'est trop beau pour être vrai ! Comment refuser ?

— Je suis d'accord ! dis-je à mademoiselle Corbeil.

— Fantastique ! répond-elle. Le prochain cours a lieu ici même, jeudi prochain. Alors, à bientôt !

CHAPITRE 4

Déjà jeudi !

En m'approchant de la piscine, je me sens plus excitée que nerveuse.

Mademoiselle Corbeil s'avance vers moi.

— Bonjour, Jessie ! dit-elle, pleine d'entrain, le visage souriant.

— Bonjour ! dis-je.

Mademoiselle Corbeil se retourne et, d'une voix forte, annonce :

— Les filles ! Nous avons une nouvelle recrue parmi nous. Jessica Raymond. Jessie, je te présente Aline, Monique, Annie…

Elle enfile une quinzaine de prénoms que j'oublie au fur et à mesure. En fin de compte, je crois bien que je suis nerveuse.

— Enfin, nous avons un nombre pair ! s'exclame mademoiselle Corbeil, une fois les présentations terminées. Tu vois, Jessie, on travaille beaucoup en couples. Avec quinze filles, il y en a toujours une de trop. Pas vrai, Élise ?

Une jolie fille aux cheveux noirs comme l'ébène sourit.

— Ouais…

— Élise a fait équipe avec presque toutes les autres filles, me dit mademoiselle Corbeil. Mais, à présent, vous allez travailler ensemble, elle et toi. D'accord ? Je pense que vous vous entendrez très bien. Prenez quelques minutes pour mieux vous connaître, ensuite Élise te montrera les mouvements de base. Elle se tourne vers Élise et lui dit : Montre-lui la nage indienne et le crawl, les mouvements de bras, la position groupée et, si tu as le temps, la culbute arrière. Si tu as besoin d'aide, appelle-moi.

Oh ! la la !

Position groupée ? Culbute arrière ? Dans quoi me suis-je embarquée ? Ça n'a rien à voir avec mon premier cours de ballet où pendant une heure on n'avait fait que des *pliés* en première et en deuxième position !

Mademoiselle Corbeil doit avoir remarqué mon trouble, car elle me fait un petit clin d'œil pour m'encourager, et dit :

— Ce n'est pas aussi difficile que ça en a l'air. Allons, les filles ! Exercices de réchauffement !

Élise sourit et, de ses yeux sombres, me lance un regard chaleureux.

— Je suis très heureuse de te rencontrer. Tu as déjà fait de la synchro ?

— De la synchro ? … Euh…

— Ne t'inquiète pas. J'ai commencé il y a quelques semaines à peine. Je suis une des plus mauvaises de la classe ; alors, avec mon aide, tu pourras être aussi médiocre que moi !

Je ris. Élise est gentille et je me sens plus à l'aise.

— J'ai une idée, dit-elle. Commençons par quelque chose qui te mettra dans l'ambiance. Tu connais la nage indienne et le crawl ?

— Oui !

Comme c'est merveilleux d'avoir l'impression de connaître quelque chose !

— Parfait. Alors, faisons ensemble deux longueurs de nage indienne et deux de crawl. Essaie de suivre mon rythme.

— Entendu.

Élise se tient au bord de la piscine et je me place à côté d'elle.

— Prête ? fait-elle.

— Prête.

Elle saute. Je l'imite.

Nous nageons nos quatre longueurs et j'arrive à accorder mes mouvements aux siens. Le problème, c'est qu'Élise est une bonne nageuse et qu'elle est toujours loin devant moi.

— C'était très bien, dit Élise, tandis que nous sortons de la piscine. Ton style est fantastique.

— Mon style ?

— Mademoiselle Corbeil essaie toujours de nous apprendre à nager avec grâce. Elle dit sans cesse : « Travaillez fort, mais de façon que ça ne paraisse pas ! » C'est mon point faible. Mais pour toi, ça semble naturel.

— Merci. Ça doit être à cause de mes cours de ballet. Mais j'aimerais bien pouvoir nager aussi vite que toi.

— Oh ! je suis désolée, s'excuse Élise avec un petit sourire confus. J'aurais dû ralentir. Je fais partie de

l'équipe de natation de l'école et j'ai l'habitude des courses.

— Tu es dans l'équipe de natation ? Tu m'as pourtant
dit que tu étais une des plus mauvaises…

— La nage synchronisée, c'est tout autre chose que la
course. J'ai une certaine puissance, mais aucun style.

— Moi, j'ai du style, mais pas de puissance, dis-je en
soupirant.

— Tu vois ? C'est parfait ! C'est sans doute la raison
pour laquelle mademoiselle Corbeil nous a mises ensemble. On pourra s'entraider.

Je crois qu'Élise et moi allons très bien nous entendre.
D'ailleurs, le reste de la période me donne raison : on
s'amuse énormément, même si c'est très fatigant.
D'abord, Élise me montre à soutenir mon corps dans
l'eau. Étendue sur le dos, il faut pousser les bras puis les
ramener vers soi, tout en gardant les doigts collés. Pour
avancer, la tête la première, on doit garder les poignets
fléchis vers le haut. Pour avancer, les pieds les premiers,
on doit tenir les poignets fléchis vers le bas. En fait, c'est
un peu plus compliqué que ça, mais ça vous donne un
aperçu de la technique.

Nous répétons les mouvements de bras un long moment,
jusqu'à ce que je les aie bien assimilés. Ensuite, Élise
m'enseigne la position groupée. Étendue sur le dos, il faut
remonter les genoux au menton. C'est un peu comme la
position assise, mais on regarde vers le haut. Ça semble
facile à faire, mais ce ne l'est pas, parce qu'il faut remuer
les bras en même temps pour garder le corps près de la surface de l'eau.

Nous n'avons pas le temps d'exécuter la culbute, mais

peu importe : j'adore déjà la « synchro » et je me suis fait une nouvelle amie.

Trois fois au cours de l'heure, mademoiselle Corbeil est venue nous voir. À la fin, elle me dit :

— Jessie, tu as un style fabuleux. Dans très peu de temps, tu vas être prête pour la compétition.

— La comp…

Le mot reste bloqué dans ma gorge. La nage synchronisée, c'est bien amusant, mais je ne suis qu'une débutante. J'ai appris très vite les mouvements de ballet, aussi, mais je n'ai donné mon premier spectacle qu'au bout d'un an de cours !

Avant que je puisse dire quoi que ce soit à Élise, mademoiselle Corbeil annonce :

— Les filles, j'ai une bonne nouvelle ! Je viens de parler au directeur de l'école. C'est officiel : notre groupe participera au Festival sportif annuel !

— Youpi ! s'écrie Élise (et les autres aussi).

— Nous allons faire une démonstration en deux groupes de huit, poursuit mademoiselle Corbeil. Ensuite, il y aura les épreuves proprement dites, en couples.

— C'est merveilleux, non ? me dit Élise.

Oui, c'est merveilleux. Mais je me sens un peu dépassée par les événements.

— J'imagine que oui, dis-je.

— Quoi ? fait Élise d'un ton inquiet.

— Oh ! rien ! C'est que j'ai l'impression d'avoir beaucoup de chemin à faire pour vous rejoindre toutes.

— Oh ! Jessie, tu es tellement perfectionniste ! dit Élise en riant. À la vitesse où tu apprends, tu seras prête en un rien de temps. C'est moi qui te le dis !

— Tu le penses vraiment ?

— J'en suis certaine ! Et puis on va tellement s'amuser !

Vous savez quoi ? Je la crois ! Son énergie est si positive. D'ailleurs, je dois avouer qu'au fond, quand je fais une activité physique, j'ai toujours confiance en moi.

Je sais qu'il va falloir travailler fort. Élise également. Mais je sais aussi que je peux y arriver.

Quand je rentre à la maison après l'école, ce jour-là, je tombe d'abord sur ma sœur qui regarde la télé.

— Becca, devine quoi !

— Chuuut ! fait-elle. Regarde, Jessie. Ce sont les épreuves préliminaires pour les Jeux olympiques.

Je m'assois pour regarder des femmes incroyablement rapides courir le cent mètres.

— Super ! s'exclame Becca. Elles sont tellement musclées !

— Rapides aussi, dis-je.

— J'aimerais bien aller aux Jeux olympiques.

Après la course, l'animateur se met à débiter une liste de statistiques tout à fait ennuyantes et j'en profite pour annoncer la nouvelle à Becca :

— Devine quoi !

— Quoi ?

— Je vais participer au Festival sportif de l'école !

Le regard de Becca s'allume.

— Vraiment ?

Je lui parle du cours de nage synchronisée, d'Élise et de mademoiselle Corbeil. Elle m'écoute avec un grand sourire, puis elle dit :

— Pendant la compétition, je vais m'asseoir en avant et crier : « Vas-y, Jessie ! »

— J'espère bien !

— Ensuite, poursuit Becca, quand je serai en sixième année, ce sera à toi de venir m'encourager, parce que moi aussi je vais participer au festival ! Peut-être, ajoute-t-elle après une pause. (Becca est un peu timide.)

— Fantastique ! dis-je.

Une autre course commence et nous nous installons pour la regarder. Becca est tellement attentive que sa bouche reste toute grande ouverte.

Après la course, elle se redresse et dit :

— Les Jeux olympiques ont lieu chaque fois dans un endroit différent, n'est-ce pas ?

— Oui.

— Est-ce qu'un jour, ils vont se tenir à Nouville ?

— Je ne crois pas. Les Jeux olympiques ont toujours lieu dans des villes plus importantes que Nouville.

Becca s'affale sur le canapé, la mine aussi déconfite que si je venais de lui annoncer que le père Noël n'existe pas.

— C'est injuste ! Moi, j'aimerais ça qu'ils viennent ici.

— Oui, je te comprends, sœurette.

Toute la soirée, les dernières paroles de Becca ne cessent de me tracasser.

Les Jeux olympiques... à Nouville.

L'idée n'est pas si bête que ça, après tout.

Il y a peut-être quelque chose à faire.

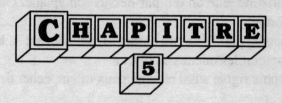

CHAPITRE 5

Une bonne partie de la nuit, je tourne et retourne l'idée dans ma tête. En fait, de simple idée qu'elle était, elle est devenue un véritable projet. Le genre de projet auquel aurait pu penser Christine. Je ne suis pas certaine qu'il soit réalisable, mais j'ai extrêmement hâte d'en parler aux filles du CBS.

Je n'ai pas à attendre bien longtemps, puisque le lendemain c'est vendredi.

J'arrive en avance à la réunion, avec l'intention de discuter de mon projet avec Christine d'abord.

Déception. Je la trouve étendue à plat ventre sur le tapis de Claudia, étirant et repliant bras et jambes, avec Sophie qui l'imite à ses côtés.

— Il faut que tes mains se rejoignent devant ton visage, dit Christine, ensuite, tu repousses l'eau. Compris ? Pousse… pousse…

Je reste bouche bée. Elles font des mouvements de brasse sous le regard de Claudia, qui grignote tranquillement des biscuits au chocolat.

— Bienvenue au camp de natation du CBS, me dit celle-ci.

Sophie se relève.

— Salut, Jessie ! s'exclame-t-elle en rougissant.

Christine jette un œil par-dessus son épaule. On dirait une tortue.

Claudia pouffe de rire et met sa main devant sa bouche pour retenir les miettes de biscuit.

Sophie rigole aussi et je ne peux m'empêcher de l'imiter.

Christine se rassoit.

— Eh bien, dit-elle en s'éclaircissant la voix, je pense que c'est presque l'heure de commencer.

— Qu'est-ce que vous faisiez ? demandé-je.

— Sophie veut participer à l'épreuve de brasse au Festival sportif, alors je lui montre comment faire, dit Christine.

— Christine est beaucoup plus rapide que moi, ajoute Sophie. Nous nous sommes exercées pendant le cours d'éducation physique.

— Mais Sophie a un style magnifique, fait remarquer Christine.

Hum, ça me rappelle quelque chose…

— Hé ! le spectacle est déjà terminé ? s'indigne Claudia. Je m'amusais bien, moi !

— Ah ! bon ? fait Christine, avec un sourire forcé. Et toi, à quelle épreuve t'inscris-tu ? Au mangeothon ?

Claudia prend un autre biscuit et l'examine.

— Non, je pensais plutôt à quelque chose de plus courant.

— Comme quoi ? demande Christine.

— Je pense m'inscrire à une course.

Nous éclatons toutes de rire.

Anne-Marie et Diane entrent à ce moment-là.

— Qu'est-ce qu'il y a de si drôle ? demande Anne-Marie.

— Christine et Sophie savent maintenant nager sur le tapis, répond Claudia. Il ne reste plus qu'à verser l'eau.

— Et Claudia délire, ajoute Christine.

Anne-Marie et Diane échangent un regard étonné.

À cet instant, Christine, constatant qu'il est dix-sept heures vingt-neuf à l'horloge, met sa visière et prend place dans son fauteuil. J'entends des pas précipités au rez-de-chaussée. Marjorie entre en trombe, l'air coupable.

— Je suis en re… commence-t-elle.

— À l'ordre ! aboie Christine.

— Comment s'est passé ton cours de nage synchronisée ? me demande Marjorie.

— Très bien. On participe au Festival sportif.

— Ah ! oui ? Tu dois apprendre vite !

— Je ne sais pas. J'ai beaucoup de retard à rattraper.

— Ne t'en fais pas, dit Sophie. Tu as vu ma drôle de brasse ? C'est pourtant à l'épreuve de brasse que je prends part. Ça ne me dérange pas d'arriver la dernière. J'ai juste envie de m'amuser.

— Moi aussi, dit Diane. C'est pour ça que j'ai choisi le lancer du javelot.

— Le lancer du javelot ? s'exclame Claudia en sortant un sac de croustilles d'un tiroir. Tu parles sérieusement ?

— Es-tu vraiment capable de lancer le javelot ? demande Anne-Marie.

— J'apprends, répond Diane. De toute façon, personne à l'école ne sait comment ça se lance, alors je ne peux pas être pire que les autres.

— Hum… c'est plein de bon sens, dit Sophie en croquant dans une croustille. Tu devrais peut-être essayer quelque chose comme ça, Anne-Marie.

— Oui, comme le lancer du poids, suggère Diane. Personne ne s'est encore inscrit à cette épreuve.

— Bonne idée ! dit Anne-Marie en riant. Juste pour lancer un de ces machins, il faut être musclé comme un taureau.

— Tu pourrais faire des exercices de musculation, dit Claudia.

— Pas question, répond Anne-Marie.

— Et toi, Christine ? demande Claudia. Tu ne nous as pas encore dit ce que tu allais faire.

Le visage de Christine s'illumine.

— Ah ! enfin, vous me le demandez ! Je pense que je vais essayer la course d'obstacles.

— Oh ! s'exclame Claudia. Ça, c'est dur.

— Oui, répond Christine. Mais je crois que ce sera encore plus dur pour Alain Grenon. Je vais parier avec lui que je gagne la course. Le perdant devra se mettre aux ordres de l'autre pendant une semaine entière.

— Fantastique ! fait Sophie en applaudissant.

— Et s'il refuse ? demande Claudia.

— Il faut que j'use de psychologie, répond Christine. Je dois le provoquer en public, à la cafétéria par exemple, là où il y aura plein de témoins. Il sera beaucoup trop gêné pour refuser.

— Il faut que je voie ça ! s'exclame Sophie.

— Moi aussi ! s'écrie Diane.

— Il l'a bien cherché, ajoute Claudia.

Driiiing !

Claudia décroche :

— Allô, le Club des baby-sitters…

C'est un client. Nous assignons la garde et Claudia raccroche. Puis je profite d'un moment de silence pour parler enfin de mon projet.

— Les filles, j'ai eu une idée géniale, commencé-je. Hier, je regardais des athlètes à la télé avec Becca, et je lui ai parlé du Festival sportif de l'école. Elle m'a dit qu'elle aimerait que les Jeux olympiques aient lieu à Nouville. Quand je lui ai fait comprendre que c'était impossible, ça l'a beaucoup peinée. Je crois qu'avec les Jeux olympiques à la télé et ma participation au festival de l'école, elle considère qu'il n'y a rien pour elle. Alors, j'ai pensé qu'on pourrait organiser une activité pour les enfants. Un genre de mini-olympiades.

Bon, j'ai dit ce que j'avais à dire. Ou bien elles vont ronchonner, ou bien elles vont trouver mon idée bonne.

C'est la seconde hypothèse qui l'emporte !

— Quelle idée fantastique ! lance Diane.

— On pourrait inviter tous les enfants que nous gardons, ajoute Anne-Marie. Ce serait une bonne façon de remercier nos clients pour la confiance qu'ils nous accordent.

Christine approuve de la tête. À son regard, je devine que son cerveau fonctionne déjà à plein régime.

— On pourrait organiser une course sur trois jambes, une course en sacs de pommes de terre, une épreuve de lancer au panier… débite-t-elle d'une seule traite.

— Et des épreuves folichonnes aussi, suggère Claudia. Comme une course où tout le monde devra grimacer, ou encore le lancer du pamplemousse au lieu du poids.

— On pourrait donner une récompense à tous les participants, ajoute Diane, pour qu'aucun d'eux ne se sente oublié.

Chacune y va de ses suggestions et le reste de la réunion y passe.

À la fin, je me sens pleine d'entrain. On dirait que les mini-olympiades vont bel et bien avoir lieu. Et c'est mon idée, à moi !

CHAPITRE 6

Lundi

Samedi, une surprise m'attendait! Je croyais que ce serait une journée de tout repos. D'habitude, ça l'est quand je garde chez moi : je n'ai qu'à ouvrir la porte et à laisser les petits courir comme des fous. Je n'ai pratiquement rien d'autre à faire.

Mais pas cette fois. J'ai eu la malencontreuse idée de parler de ton projet, Jessie. Jamais je n'aurais cru que mes frères et sœurs réagiraient comme ils l'ont fait ...

Laissez-moi vous expliquer quelque chose. Quand Christine écrit : « Je n'ai pratiquement rien d'autre à faire », ce n'est pas tout à fait vrai. Elle fait toujours quelque chose avec les enfants, elle organise des parties de balle molle, de cache-cache, de n'importe quoi. C'est une très bonne gardienne, surtout avec ses frères et sœurs.

Mais quand Christine dit qu'elle a eu une dure journée, il faut la croire.

La journée commence pourtant bien. Il fait beau et sec. La mère de Christine et son beau-père sont allés acheter des meubles, et ses frères aînés sont sortis avec des amis. Christine doit donc passer quelques heures avec David et Karen, qui ont sept ans, André, qui en a quatre, et Émilie, qui en a presque trois.

Elle fait exactement comme elle le raconte dans le journal de bord : elle les fait sortir dans la cour. Mais vous devriez voir sa cour ! Imaginez un terrain de base-ball avec un manoir en plein milieu. J'exagère à peine. Au fond, il y a un gros arbre auquel on peut grimper et un petit terrain de jeux, et le garage regorge de matériel pour les activités de plein air.

Les voisins sont dehors, eux aussi, et bientôt, toute une troupe d'enfants s'amènent. Christine surveille donc ses quatre frères et sœurs, mais aussi Léonard et Annie Papadakis, Bertrand et Mélanie Caron, et Serge et Patrice Hsu.

Dix enfants ! Avec Christine pour seule gardienne !

Elle est pourtant ravie. (N'oubliez pas que c'est elle qui a mis sur pied une véritable équipe de balle molle.)

Puis survient l'erreur fatale.

— Venez ici, les amis ! dit-elle. J'ai une surprise pour vous ! (Un vieux truc de gardienne : si vous voulez que les enfants accourent vers vous, dites-leur que vous avez une surprise pour eux.)

— Quoi? Qu'est-ce que c'est? Une surprise? font les enfants en se précipitant.

— Est-ce que vous regardez les Jeux olympiques à la télé? leur demande Christine.

— Ouiiii! répondent-ils.

— Bon, poursuit Christine, mon amie Jessie a eu une bonne idée à la dernière réunion du Club. Aimeriez-vous qu'on organise des mini-olympiades? Juste pour vous, les enfants?

— OUIIIIIIIIIIII!

Quel enthousiasme! Christine a l'impression que ses tympans vont éclater.

— D'accord, d'accord, fait-elle. Bon, on a des idées pour les épreuves, mais j'aimerais que vous me disiez ce que vous, vous aimeriez faire.

— Des courses à cheval! crie Mélanie.

— Restons simples, dit Christine. Comme des courses sur trois jambes, par exemple.

— Ouiiiii, des courses sur trois jambes! dit David.

— Une épreuve de lancer au panier! propose Patrice.

— Une course en sacs de pommes de terre, ajoute Annie.

— Une course en patins à roulettes, suggère Mélanie.

— Des sauts en longueur! crie Serge.

— Une partie de volley-ball! dit Karen.

— Un spectacle de magie! ajoute Léonard.

— Il n'y a pas de spectacle de magie dans les Jeux olympiques, lui fait remarquer Annie en levant les yeux au ciel.

— Des poids et haltères! lance Bertrand.

— Du calme! Du calme! dit Christine. Je ne pourrai pas me souvenir de tout ça. Je vais aller chercher un crayon et du papier. Pendant ce temps-là, commencez à vous entraîner pour être en forme!

Christine court à la maison et quand elle revient, c'est l'anarchie.

David et Léonard se servent des branches de l'arbre comme de barres fixes. Patrice fait des tractions, Mélanie des culbutes. Annie et Karen plantent des arceaux de croquet. Serge et Bertrand font la course. André sort du garage un des vieux haltères de Guillaume.

— Qu'est-ce que c'est que ça? demande Christine à Annie et Karen. Du croquet olympique?

— Non, une course d'obstacles, répond Annie. Il faut courir entre les arceaux, droite, gauche, droite, gauche; ensuite, sauter par-dessus le banc en plastique, grimper dans l'arbre jusqu'à la deuxième branche, redescendre, courir jusqu'à l'allée, puis sauter par-dessus.

— Oh! la la! fait Christine. Saviez-vous que je prends part à une course d'obstacles moi aussi?

Le regard d'Annie s'illumine.

— Tu peux t'entraîner avec nous, si tu veux!

— D'accord!

Tiens! J'y pense! Je ne vous ai pas encore raconté ce qui s'est passé quand Christine a lancé son pari à Alain. Son plan a fonctionné exactement comme prévu. Elle l'a provoqué en pleine cafétéria et ses amis se sont mis à rire de lui. Il est devenu tout rouge et il a accepté.

Mais ce n'est pas tout. Alain a commencé à se vanter pendant le cours d'éducation physique et son professeur l'a entendu. Et devinez quoi! Le professeur d'Alain et celui de Christine se sont parlé et ils ont décidé d'organiser des épreuves-spectacles, des courses à deux qui se dérouleront tout au long du festival de l'école. Ils ont proposé à Alain et à Christine de s'inscrire.

Alain n'était pas très emballé, mais il a bien été obligé d'accepter quand Christine a dit oui. Ils sont donc devenus officiellement les deux premiers concurrents du «Grand Défi Mixte»! Je trouve ça aussi excitant que ma compétition de synchro.

Mais revenons à nos moutons! Les enfants sont déchaînés. Christine court avec eux, leur donne des conseils pour mieux lancer les ballons dans le panier, installe un filet de volley-ball, leur apprend à faire du patin à roulettes, sert des jus et de l'eau, sépare les petits qui se chamaillent…

Fiou! Je suis bien contente de ne pas avoir été là. J'aurais été en miettes.

Au début, Christine est en forme et s'amuse beaucoup, mais au bout d'une heure ou deux, elle souhaiterait avoir de l'aide.

C'est le moment que choisit André pour se mettre à sangloter.

Il est étendu sur le gazon. Christine court vers lui, pensant qu'il s'est blessé.

— André, qu'est-ce que tu as? T'es-tu fait mal?

— Jeee peuuuux rieeen faiiiiiire! gémit le petit garçon.

Christine le soulève et le serre contre elle.

— Bon…, fait-elle d'une voix apaisante. Raconte-moi ce qui ne va pas. Lentement.

— Je… je… je… peux… rien… faire! s'écrie André d'une voix entrecoupée de hoquets et de sanglots.

— Comment ça?

— Je n'arrive pas à faire des vraies culbutes, et mes jambes sont trop petites pour sauter par-dessus les choses. Tout le monde est meilleur que moi!

— Et c'est ça qui te fait de la peine, hein?

— Oui, répond André d'une toute petite voix.

— Tu voudrais que je t'aide à t'entraîner?

— D'accord, dit-il en esquissant un sourire.

— Parfait. On va trouver un sport qui te convient. Par quoi veux-tu commencer?

André se redresse et pointe le panier de basket.

— Ça!

Christine court chercher le ballon dans l'allée.

— Tu vas trouver ça un peu difficile, dit-elle, mais essaie quand même.

André soulève le ballon jusqu'à ses épaules et le lance, mais le ballon tombe presque à ses pieds.

Christine le ramasse.

— Essaie comme ceci, dit-elle.

Elle lui fait une démonstration et le ballon arrive en plein dans le panier.

— De cette façon, tu auras plus de puissance.

André recommence, mais le ballon va frapper contre la porte du garage.

— Bon... faisons autre chose, propose Christine. Je pense que le panier est trop haut pour les enfants de ton âge. Que veux-tu, il est de la même hauteur que pour les professionnels.

— Ah! fait André, un peu rassuré.

Ensuite, André tente de lever un des haltères de Guillaume, mais l'instrument lui semble cloué au sol.

— Moi, je peux, se vante Léonard en soulevant les deux haltères et en les maintenant à bout de bras.

Imaginez un peu la tête de Christine.

— Léonard, c'est injuste ! Tu as huit ans, toi !

— Exact ! réplique-t-il, très fier.

— Viens, André, dit Christine. Essaie la course d'obstacles de Karen et Annie.

André a beaucoup de plaisir à contourner les premiers arceaux, mais son pied reste pris dans le dernier et il s'écroule.

Il fait ensuite une course sur trois jambes avec Karen. Karen veut être gentille, mais André n'est vraiment pas doué. Il ne peut pas faire deux pas sans tomber.

Patin à roulettes, volley-ball, saut en longueur… Christine essaie tout. Mais André est de plus en plus malheureux. Même s'il parvient à faire quelque chose, les autres sont toujours meilleurs que lui.

Quand ses parents reviennent, André est dans sa chambre, suçant son pouce en pleurant. Bertrand et Léonard se courent après, s'accusant mutuellement de tricher. Patrice et David se disputent pour savoir qui a fait le plus long saut. Mélanie tient un sac de glaçons sur sa cheville.

Et Christine, dans tout ça, est à ramasser à la petite cuillère.

Hum ! Mon idée géniale n'est peut-être pas si géniale que ça, finalement.

CHAPITRE 7

Boum!… Boum!… Boum!… Boum!

Les haut-parleurs de la piscine battent le rythme. Je ne fais pas attention à la musique. Tout ce qui importe pour moi, c'est le rythme et la voix de mademoiselle Corbeil :

— Tendez la jambe droite, tendez la jambe gauche… très bien !

Boum!… Boum!… Boum!… Boum!…

— Position groupée, crawl à gauche…

Toutes les élèves nagent en cadence, en suivant les instructions de mademoiselle Corbeil. Parfois, nous entrons en collision les unes avec les autres, mais en général, nous réussissons à garder notre alignement.

Comme vous l'avez sans doute constaté, la nage synchronisée se fait toujours en musique. Certaines piscines de luxe sont équipées de haut-parleurs immergés, mais pas la nôtre. Nous n'avons qu'un gros magnétophone à cassettes placé sur le bord ; alors, la musique doit être extrêmement forte pour que nous l'entendions sous l'eau. Avec tout ce tintamarre, mademoiselle Corbeil doit utiliser un porte-voix pour se faire entendre.

À première vue, la nage synchronisée, ça peut sembler facile. Mais détrompez-vous! Non seulement faut-il suivre une chorégraphie, mais en plus, il faut nous maintenir à la surface, garder une distance constante entre soi et les autres nageuses, ne jamais arrêter de bouger, et parfois, exécuter un mouvement par temps musical.

— Terminez la roue… bien, Annie!… culbute arrière… tête droite… les bras… c'est terminé!

Mademoiselle Corbeil appuie sur le bouton du magnétophone et la musique s'arrête. Épuisées, les filles halètent.

— Bon travail! lance mademoiselle Corbeil. Aline, ta culbute était superbe! Catherine, tu t'es surpassée aujourd'hui. Je vous félicite toutes! Faisons une pause.

Tandis que nous sortons de la piscine, mademoiselle Corbeil s'approche d'Élise et de moi.

— Ça va, vous deux?

— Oui, oui, répond Élise.

— Es-tu fatiguée, Jessie? Tu prenais un peu de retard.

— Non, tout va bien.

— Parfait, dit mademoiselle Corbeil. Élise, ta présentation s'améliore beaucoup, mais fais tes mouvements de bras plus près du corps. Compris?

— Compris. Merci.

Mademoiselle Corbeil s'éloigne; Élise et moi échangeons un regard et soupirons. Pendant un moment, aucune de nous ne dit mot.

Élise se décide enfin à briser le silence.

— C'était affreux.

Je hoche la tête.

— Je sais. Je ne pensais qu'à essayer de suivre les autres. Je connais tous les mouvements, mais je me concentre tellement que mon style commence à en souffrir.

— Ton style ? À côté de toi, j'ai encore l'air d'une baleine. J'ai bien dû foncer dans vingt filles pendant l'exercice.

— Tout un exploit dans une classe de seize élèves !

Nous sourions, trop déprimées pour rire vraiment. Voilà quatre semaines que j'ai commencé la nage synchronisée, et Élise et moi sommes toujours à la traîne de la classe. Mademoiselle Corbeil a complimenté chaque fille, sauf nous.

C'est tellement bizarre. Jamais je ne me suis sentie gauche ou lente pendant les cours de ballet. En tout cas, je ne m'en souviens pas.

— Bon, les filles, fait mademoiselle Corbeil, il nous reste encore dix minutes. Quand vous vous sentirez reposées, travaillez un peu vos figures de danse par couples.

Je regarde Élise.

— On y va ?

— Oui, mais parlons un peu de la chorégraphie avant. J'ai du mal à retenir les mouvements après la culbute arrière.

Voilà autre chose. Vu mon expérience en ballet, mademoiselle Corbeil m'a demandé de régler notre chorégraphie, à Élise et à moi, pour l'épreuve en couple, la seule partie de la compétition que nous créons nous-mêmes. Chaque couple doit créer sa propre chorégraphie, et bien sûr, celle que j'ai imaginée est beaucoup trop compliquée. Mais je l'aime bien, avec ses étranges mouvements qui rappellent les images peintes sur les très anciens monuments d'Égypte. Le seul problème, c'est qu'Élise et moi avons du mal à l'exécuter.

Nous en discutons donc un peu, puis nous passons à l'action. Nous tentons de reprendre le tout, mais après quatre mesures à peine, nous sommes complètement déboussolées.

— Oups, excuse-moi, fait Élise en se mettant à nager en chien.

— Non, c'est ma faute. J'ai trop ralenti.

— Hé, Jessie, aide-moi un peu. Est-ce que mon bras est bien placé ?

Battant l'eau furieusement de ses jambes, Élise ébauche des mouvements de bras et de tête hors de l'eau.

C'est bête à dire, mais elle a une allure épouvantable. Pour bien réussir cette chorégraphie, il faut obtenir des angles très aigus, tout en évoluant avec grâce. Élise est gauche, on dirait qu'elle est toute disloquée.

— C'est à peu près ça, dis-je. Mais essaie de ne pas trop y penser. Ça devrait plutôt ressembler à ceci…

Je tente de lui faire une démonstration… et je me mets à couler. Mes bras sont parfaits, mais j'ai de l'eau par-dessus la tête !

— Pouah ! dis-je en refaisant surface. Pourquoi suis-je incapable de flotter ?

— Il faut que tu te serves de tes jambes, explique Élise. Regarde.

Nous travaillons quelques minutes, jusqu'à ce que mademoiselle Corbeil siffle la fin du cours. Nous nous hissons hors de l'eau et allons nous changer au vestiaire.

La pièce résonne des conversations des autres filles, mais Élise et moi ouvrons à peine la bouche en nous habillant.

Tandis que nous reprenons la route de l'école, je dis :

— Je n'arrive pas à croire que le festival a lieu bientôt.

Élise pousse un soupir.

— Tu crois que nous allons être prêtes ?

— J'espère.

Je n'ose pas répondre non, mais c'est ce que je pense, en fait.

— Ça me rend nerveuse, avoue Élise.

— Moi aussi.

— C'est curieux. Hier, on a fait une petite compétition et je suis arrivée première en nage papillon.

— Tu ne m'avais pas dit ça ! C'est super !

Élise fait un sourire modeste.

— Oh ! je ne le disais pas pour me vanter ! Ce que j'essaie de t'expliquer, c'est que c'est curieux comme certaines choses me semblent faciles et d'autres pas.

— Je sais ce que tu veux dire ! Je ressens la même chose. Hier, au cours de ballet, j'ai réussi un mouvement très difficile. Un jour, mon professeur de ballet me dit que je devrais devenir danseuse professionnelle, et le lendemain, je viens ici et je me sens maladroite.

Élise me regarde et fronce les sourcils.

— Tu n'as pas l'intention de lâcher, j'espère ?

— Pas question ! dis-je en m'arrêtant net. Toi ?

— Moi non plus ! Je vais travailler jusqu'à ce que j'y arrive !

— Moi aussi. Soudain illuminée par une idée, j'ajoute : On pourrait s'exercer toutes les deux, après les heures de cours ?

Le visage d'Élise s'éclaire.

— Oui ! Et la fin de semaine aussi.

— Chaque fois qu'on aura le temps, dis-je. Comme… cet après-midi ?

— D'accord! répond Élise. Si mes parents me le permettent, évidemment.

Je regarde ma montre. Les cours commencent dans trois minutes. Nous faisons le reste du chemin à la course. Je songe aux athlètes des Jeux olympiques qui s'entraînent jour et nuit pour parvenir au sommet.

Si c'est bon pour eux, ce doit l'être pour nous aussi.

CHAPITRE 8

Vendredi

Les mini-olympiades ont vraiment un drôle d'effet sur les enfants ! On dirait que leurs traits de caractère sont poussés à l'extrême. Si, au départ, ils sont compétitifs, ils se transforment en véritables monstres. Si, au contraire, ils ne sont pas très sportifs, ils se renferment encore plus sur eux-mêmes.

C'est du moins l'avis du célèbre docteur Sophie Ménard, psychologue pour enfants.

Si seulement cette brillante observation m'était venue AVANT d'aller garder Charlotte Jasmin, hier soir...

Je pense que Sophie est trop dure envers elle-même. Elle vise toujours la perfection. Mais bon, personne n'est parfait.

Laissez-moi un peu vous parler de Charlotte. Elle a huit ans et elle est déjà en quatrième année parce qu'elle a sauté une année. Elle est très intelligente, mais elle est aussi drôle, sensible et chaleureuse. En fait, c'est la première jeune du quartier à n'avoir pas cherché à nous éviter parce que nous étions des Noirs. Les autres faisaient comme si on avait la peste. Pas Charlotte. Elle s'est tout de suite liée d'amitié avec Becca. Ç'a été très important pour toute la famille.

Charlotte est vraiment mignonne. Elle a les cheveux et les yeux bruns, un grand sourire qui lui creuse des fossettes, et elle est enfant unique, ce qui facilite notre tâche quand nous allons la garder. Sophie est sa gardienne préférée.

Le soir où Sophie garde Charlotte, il fait chaud et humide. Sophie, qui a couru depuis la piscine (elle s'entraîne pour le festival de l'école) jusque chez Charlotte, arrive en nage chez celle-ci.

Pourtant, c'est toute souriante qu'elle sonne à la porte.

— Il y a quelqu'un ? lance-t-elle par la porte moustiquaire.

Le docteur Jasmin apparaît, un porte-documents à la main.

— Bonjour, Sophie ! dit-elle en ouvrant la porte. Merci d'être venue. Ma réunion ne devrait pas durer plus de deux heures, mais de toute façon, mon mari rentre pour le souper. J'ai laissé les numéros d'urgence près du téléphone.

— Parfait, dit Sophie.

— Charlotte lit dans sa chambre, ajoute madame Jasmin en sortant. Prends ce que tu veux dans le frigo. Au revoir !

— Au revoir !

Sophie ferme la porte derrière elle et monte voir Charlotte.

— Je peux entrer ? demande-t-elle en frappant à sa chambre.

— Sophie ? fait Charlotte. Je ne t'ai pas entendue arriver !

Des écouteurs sur les oreilles, Charlotte est assise sur son lit, entre une pile de livres et un magnétophone.

— Salut ! Qu'est-ce que tu fais ? demande Sophie.

— C'est « *Pierre et le loup* ». Je peux lire l'histoire dans le livre et écouter la musique en même temps. Tu veux entendre ?

Elle débranche les écouteurs du magnétophone. Les deux filles écoutent la musique un moment, puis Charlotte, jetant un coup d'œil à l'horloge sur le mur, annonce qu'il est temps d'aller promener Carotte.

Carotte est le chien de Charlotte. Il somnole à l'ombre d'un arbre dans la cour, mais quand il entend la porte d'en arrière s'ouvrir, il se lève d'un bond.

— Viens-tu te promener ? lui demande Charlotte.

Carotte se met à tourner en rond en jappant avec frénésie.

En riant, Charlotte lui attache sa laisse, puis se dirige avec Sophie vers le trottoir.

— Tu es venue directement de l'école ? demande-t-elle à Sophie.

— Oui.

— Alors pourquoi tes cheveux sont tout mouillés ?

— Je suis allée m'exercer à la piscine. Je participe à l'épreuve de brasse au Festival sportif de l'école.

— Ah ! oui ? fait Charlotte, impressionnée.

Sophie se met à rire.

— Ça te surprend tant que ça ?

— Je ne sais pas…

Sophie pense soudain à mon idée.

— Charlotte, as-tu entendu parler des mini-olympiades ?

— An-han, répond Charlotte en s'arrêtant pour laisser son chien renifler un arbre.

— As-tu envie d'en faire partie ?

Charlotte fait la grimace.

— Beurk.

— Oh ! Pourquoi pas ?

— Je déteste ce genre de choses. Je hais les sports et les cours d'éducation physique. Et puis, il va y avoir plein de monde et tu sais bien que ça me rend nerveuse.

Oui, Sophie le sait. Il y a déjà quelque temps, Charlotte devait réciter un court poème pour un concours. Mais l'auditoire l'a tellement effrayée qu'elle est restée muette comme une carpe.

Sophie sait qu'elle ne devrait pas pousser Charlotte, mais elle aimerait tellement que la fillette participe et s'amuse autant que les autres enfants !

— Je t'assure qu'il n'y aura aucune pression, dit Sophie. Ce ne sera pas un événement si gros que ça, finalement. En plus, tous tes amis participent. Il va y avoir des courses farfelues, des prix, des rafraîchissements et toutes sortes d'autres activités. Je pense que tu t'amuserais beaucoup.

Charlotte, silencieuse, fixe la route en suivant Carotte.

— Et si Becca y participe ? ajoute Sophie.

Charlotte hausse les épaules.

— Je ne sais pas…

— Hé ! on pourrait l'inviter, tantôt ! Ça te tente ?

Charlotte retrouve sa bonne humeur.

— Oh ! oui ! s'exclame-t-elle.

Elles font le tour du pâté de maisons, puis rentrent chez Charlotte pour téléphoner à Becca.

C'est justement ma sœur qui répond. L'invitation de Sophie lui fait tellement plaisir qu'elle arrive chez les Jasmin en un rien de temps. Sophie emmène les deux fillettes dans la cour pour mettre à l'essai quelques-unes des idées qu'elle a eues.

— Charlotte, dit-elle, est-ce qu'il te reste de la mousse pour le bain ?

— Oui.

— Va la chercher. Si tu en avais deux bouteilles, ça serait encore mieux !

— D'accord.

— Je vais avec toi ! fait Becca.

Les fillettes entrent en courant dans la maison et en ressortent peu après avec deux bouteilles de mousse et deux pailles en plastique.

— Parfait ! dit Sophie. On va faire un concours de bulles !

— Youpi ! fait Charlotte.

Pendant dix minutes, les deux amies s'amusent comme des folles à souffler de grosses bulles et à courir après.

Ensuite, Sophie les fait jouer aux « mannequins-poubelles ». Un couvercle de poubelle (propre, bien sûr) sur la tête, il faut essayer de marcher en droite ligne sans le faire tomber, un peu à la façon des mannequins dans les défilés de mode à la télé. Charlotte et Becca s'en donnent à cœur joie pendant encore quelques minutes.

À la fin, Sophie les fait rentrer et leur prépare une collation. Tandis qu'elles mangent, Sophie remarque un objet bizarre sur le plancher : un gros ballon beige en forme de main.

— Qu'est-ce que c'est que ça ? demande-t-elle à Charlotte.

— Oh ! un gant de chirurgien de maman ! Elle en a des tas. Des fois, elle me permet d'en gonfler, comme des ballons.

Sophie prend le gant gonflé et, d'une petite tape, le lance dans les airs.

— Hé ! que diriez-vous de ce nouveau jeu ? La première qui laisse tomber le ballon par terre est la perdante !

— Ouiiiii ! crient Charlotte et Becca à l'unisson.

Elles sortent dehors en courant, tapant tour à tour sur le gant-ballon pour le maintenir en l'air.

Quand elles ont fini de jouer, il fait déjà presque noir. Les trois filles s'étendent sur le gazon pour reprendre leur souffle.

— C'était amusant, hein ? lance Sophie.

— Oui, font les fillettes.

— Vous savez, les épreuves des mini-olympiades vont ressembler à ça. Vous avez le goût d'y participer ?

Sophie a parlé tout innocemment. Je pense qu'elle s'attendait à ce que les filles acceptent avec enthousiasme. Mais ni l'une ni l'autre ne dit mot.

— Je ne sais pas, répond enfin Becca. Peut-être.

(En fait, Becca est plus intéressée par l'idée des mini-olympiades que par le fait d'y prendre part, mais comment Sophie aurait-elle pu le deviner ?)

Charlotte, la mine sombre tout à coup, se contente de hausser les épaules.

Avant que Sophie puisse ajouter quoi que ce soit, Becca se lève d'un bond.

— Oh ! oh ! j'ai promis à maman de l'aider à mettre la table !

Charlotte et Sophie l'accompagnent jusqu'au trottoir.

— Au revoir ! À demain ! lance Becca en les saluant de la main.

— À demain ! répond Charlotte.

Sans même un regard pour Sophie, elle se retourne et rentre à la maison.

— Charlotte ? dit Sophie en la suivant. Tout va bien ?

— An-han, répond-elle.

— Hum, tu es fâchée contre moi ?

Charlotte fait non de la tête.

— Non, c'est toi qui es fâchée contre moi.

— Moi ?

— Oui. Non ?

— Euh… pourquoi je le serais ?

— Parce que je ne veux pas participer aux mini-olympiades.

Sophie est stupéfaite. Elle vient de comprendre qu'elle a un peu trop poussé Charlotte. Et, à présent, celle-ci est malheureuse.

— Oh ! Charlotte ! Je suis désolée ! Je ne voulais pas te forcer à faire quoi que ce soit. J'ai encore trop parlé. Tu n'es pas obligée de participer aux mini-olympiades. Je vais t'aimer quand même, tu sais.

— C'est vrai ? fait Charlotte.

— Évidemment.

— Tu m'aimes encore ?

— Et comment ! la rassure-t-elle avec son plus beau sourire.

Sophie se jure bien de ne plus parler des mini-olympiades en présence de Charlotte !

— Ils ont dit oui ! s'écrie Diane en entrant dans la chambre de Claudia, suivie d'Anne-Marie.

— Youpi !

Le plus gros problème des mini-olympiades vient d'être réglé. Nous avions pensé organiser les jeux sur la grande propriété de Diane et Anne-Marie, mais il fallait qu'elles obtiennent d'abord la permission de leurs parents.

— Richard et maman ont trouvé que c'était une idée fantastique, poursuit Diane. Il faut juste leur donner la date : un vendredi après l'école ou un samedi.

— Parfait ! dit Christine. Que diriez-vous du samedi suivant le Festival sportif de l'école ?

— D'accord, approuve Sophie.

— D'accord, dis-je aussi.

— Bon, alors, c'est décidé, fait Christine.

— Je vais le noter, dit Anne-Marie en prenant l'agenda. Ça veut dire dans trois semaines, n'est-ce pas ?

Ça fait déjà un mois que j'ai lancé l'idée des mini-olympiades et depuis ce temps, les événements se bousculent. Au moins trente enfants ont déjà accepté d'y prendre part et la plupart des parents veulent bien aider à superviser les épreuves.

Incroyable, non? Appelez-moi Jessie, l'éponge à idées numéro deux.

Driiiing!

Claudia décroche.

— Allô? le Club des baby-sitters… Oh! bonjour, madame Hobart!… Oui… Oh! bien sûr… Mmmm… Mmmm… Samedi, dans trois semaines… Il n'y a pas de quoi. Au revoir!

— Dans trois semaines? s'inquiète Anne-Marie. Mais on ne peut pas prendre de garde pour ce jour-là!

Claudia hoche la tête.

— Ce n'est pas pour une garde. Madame Hobart voulait savoir si ses garçons pouvaient participer aux mini-olympiades.

— Tous? demandé-je.

— Les trois plus jeunes. Jacques veut s'inscrire pour la course à trois jambes, Matthieu veut faire la course normale et Jean veut lever des haltères.

— Mais il a seulement quatre ans! s'exclame Sophie.

— Hum, Augustin Robitaille et Jonathan Mainville ont choisi les haltères, eux aussi, fait remarquer Anne-Marie. Ils ont dû se parler.

— On pourrait essayer de trouver des haltères en plastique, suggère Christine.

Anne-Marie tire de l'agenda une feuille de papier pliée.

— Je pense qu'il faut mettre à jour la liste des activités… Voyons voir… Course sur trois jambes: Jacques Hobart…

— Oh! fait Diane. J'ai gardé les Biron, hier soir. Hélène

a décidé de participer à la course aux grimaces et Matthieu veut s'inscrire au « Défi base-ball ».

Vous voyez ? Il y a de nouvelles inscriptions tous les jours. Et j'avoue que ça me flatte. J'en ai bien besoin avec ce qui m'arrive en synchro !

— Vous savez, dit Christine, on devrait laisser les enfants s'inscrire à toutes les épreuves qui les intéressent. Ça serait plus simple.

— Tu as raison, dit Anne-Marie en posant son crayon.

— As-tu parlé à Charlotte, Sophie ? demande Christine. (Personne n'a encore lu son rapport dans le journal de bord.)

— Elle ne veut pas participer, répond Sophie.

Christine est stupéfaite.

— Ah ! non ? Pourquoi ?

— Elle n'aime pas les sports, fait Sophie en haussant les épaules. Ni les foules.

— Ah ! dit Christine. On devrait essayer de la convaincre.

— Mais qu'est-ce que ça fait ? intervient Marjorie. Elle a bien le droit de ne pas participer, non ?

Hum. Je n'avais encore jamais vu Marjorie tenir tête à Christine de cette façon. D'habitude, nous, les membres juniors, on évite de faire des vagues.

Marjorie doit être préoccupée par quelque chose. Ça fait déjà quelques semaines qu'elle n'est plus elle-même. Je voudrais bien en causer avec elle, mais avec mes cours de ballet et de synchro, on ne se voit pratiquement plus.

Dès que j'aurai une minute, il faudra que je lui parle.

Heureusement, Christine ne semble pas s'offusquer de la réplique de Marjorie.

— Hum, tu as raison, dit-elle. Je me suis laissée emporter.

— On ne peut pas tous être de grandes vedettes comme toi et Alain Grenon, plaisante Sophie pour détendre l'atmosphère.

— Bon, changeons de sujet, dit Christine. Comment vont tes cours de natation, Jessie ?

— Très bien, dis-je. Ça me plaît.

— Je n'arrive pas à comprendre comment tu peux apprendre de nouvelles choses si vite, dit Anne-Marie. Tu as vraiment un don !

— Un jour, elle va devoir choisir entre les vrais Jeux olympiques et les Grands Ballets Canadiens, ajoute Sophie.

— C'est très amusant comme sport, dis-je. Vous devriez essayer, un de ces jours.

Anne-Marie fait la moue :

— Non merci, je coulerais à pic.

— Toi, tu es une vraie sportive, hein ? me dit Sophie en riant. Tu devrais faire équipe avec Charlotte !

Ce n'était qu'une boutade, mais elle me donne à réfléchir. Becca m'a raconté son après-midi chez les Jasmin et je n'ai aucun mal à imaginer ce que ressent Charlotte. Et soudain, je trouve un moyen de la rassurer !

— Hé ! ce n'est pas bête comme idée ! dis-je à Sophie.

— Quelle idée ? demande-t-elle.

— Anne-Marie, tu devrais téléphoner à Charlotte et lui dire que tu ne participeras pas au Festival sportif de l'école. Elle t'aime bien et peut-être qu'en apprenant ça, elle s'en voudra moins de ne pas s'inscrire aux mini-olympiades.

— Excellente idée ! s'exclame Sophie.

— Oui, admet Anne-Marie. Je vais suivre ton conseil.

La sonnerie du téléphone retentit et la réunion reprend son cours normal. Nous avons réglé plusieurs problèmes et les mini-olympiades se concrétisent de plus en plus. Bientôt, Charlotte n'aura plus de remords, j'en suis certaine. Quant à Marjorie… hum ! il va falloir que je découvre ce qui la turlupine.

Malgré ces préoccupations, je n'arrive pas à penser à autre chose qu'à la position de mes mains pendant une culbute arrière. Oh ! la la ! Les deux prochaines semaines risquent d'être longues !

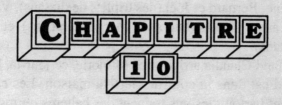

CHAPITRE 10

Lundi

Encore douze jours avant les mini-olympiades ! Si je dois encore supporter une garde comme samedi dernier chez les Picard, je deviens folle. Et je me compte chanceuse : à la fin de la journée, j'avais encore mes deux jambes ! Pauvre Marjorie ! La première accidentée depuis le début de l'entraînement.

Voyons Claudia, ce n'est pas si grave que ça.

Maintenant, peut-être, mais si tu avais vu la tête que tu faisais quand c'est arrivé, Marjorie ...

Comme vous l'avez sans doute compris, Claudia et Marjorie ont gardé chez les Picard samedi. Sept enfants à surveiller…

Ils sont bien gentils, mais ils sont… nombreux. Il y a Antoine, Bernard et Joël (des triplets de dix ans), Vanessa (neuf ans), Nicolas (huit ans), Margot (sept ans), et Claire (cinq ans).

Quand Claudia arrive chez Marjorie, ce jour-là, le clan Picard est dans la cour derrière la maison. Les enfants courent partout, les uns traînent des haltères ou installent des balises pour une course, les autres empilent des sacs de pommes de terre vides et des vieilles guenilles ou préparent des jus. Et tout ça, au milieu des cris et des hurlements. En comparaison, la garde chez Christine est un havre de paix !

— Salut, la compagnie ! lance Claudia en les rejoignant.

— Salut, Claudia ! dit Marjorie.

— Salut ! font Vanessa et une partie de la bande.

— Salut ! dit Joël, le torse bombé, les épaules rejetées vers l'arrière.

Il marche en se dandinant.

— Allez ! crie-t-il en tapant dans ses mains. Un peu de vigueur ! Allez !

— Qu'est-ce qu'il a ? demande Claude en riant.

— Il se prend pour un entraîneur sportif. Il en a vu un à la télé hier et il veut faire pareil, explique Marjorie.

— Bon, tout le monde à l'entraînement ! beugle Joël en essayant de prendre une voix grave. Antoine ! Bernard ! vous êtes des pâtes molles !

— Tu peux bien parler ! réplique Antoine.

— Bouboule ! ajoute Bernard.

76

Joël rentre le ventre (chose difficile car il est déjà plutôt maigrichon).

— Allons, les gars, vous faites quelques pointes de vitesse entre les lignes. Nicolas, toi, essaie des tractions. Vanessa et Margot, assoyez-vous par terre et faites des exercices d'étirement…

— On veut lever des haltères ! proteste Vanessa.

— Bon, d'accord… Claire, fais des culbutes.

— Non ! des sauts rigolos ! crie Claire. Comme ça.

Elle se met à sautiller en faisant des grimaces et en agitant les bras et les jambes en tous sens.

Joël se dirige vers la table en roulant les épaules. Il met quelques cuillerées d'une poudre brune dans un verre et y ajoute de l'eau.

— Qu'est-ce que c'est ? demande Claudia devant cette mixture suspecte.

Joël lève les sourcils comme si elle venait de poser la question la plus idiote qui soit.

— De la levure de bière, répond-il.

Joël commence à brasser son mélange. En le voyant devenir boueux et étrange, il perd peu à peu son air fanfaron.

— C'est mon père qui a acheté ça, chuchote Marjorie à l'oreille de Claudia. Il y a goûté une fois et n'y a plus jamais retouché.

— Et il a permis à Joël d'en prendre ? s'étonne Claudia.

— Il l'a prévenu, mais Joël prétend que…

— Ouache ! Pouah !

L'entraîneur sportif est redevenu Joël Picard.

— Ouache ! Ouache ! répète-t-il sans arrêt, le visage tordu par le dégoût. Vite, appelez une ambulance !

Marjorie se rue sur la table et s'empare du jus d'orange. Elle en verse dans un verre qu'elle tend à son frère :

— Tiens, bois. Ça chassera le goût.

Joël boit à grands traits, comme s'il venait de traverser le Sahara sans une goutte d'eau. Quand il retrouve son souffle, il a encore des haut-le-cœur, mais moins.

— Ooooh ! fait-il en frissonnant. Ne buvez jamais ça ! Je vais le jeter.

— Bonne idée, dit Marjorie.

L'entraîneur reprend alors son rôle… Les épaules de Joël se soulèvent, sa voix se fait plus grave.

— Bon, c'est l'heure des exercices aérobiques ! En rang tout le monde !

— Oh ! Joël ! gémit Vanessa qui est en train de soulever des haltères avec Margot et Martine et Caroline Arnaud, qui se sont jointes au groupe.

— Appelle-moi « entraîneur », corrige Joël. Allez ! On commence par… euh… le jogging sur place.

— Attends-moi ici, dit Marjorie à Claudia. Je reviens tout de suite.

Les enfants courent depuis quelques secondes à peine lorsque Marjorie revient avec un magnétophone. Elle le pose sur la table et fait jouer une musique pop.

Les enfants en sont tout ragaillardis. Au bout d'un moment, Joël leur fait faire des sauts, des tractions, des redressements assis (en somme, dès que lui n'en peut plus, il change d'exercice).

La musique agit comme un aimant et bientôt, la cour est envahie par les enfants du voisinage : Bruno et Suzon Barrette, Hélène et Matthieu Biron, Jeanne Prieur.

Joël perd vite le contrôle de son groupe et les enfants

finissent par s'éloigner pour s'entraîner à leur guise. Le vacarme est presque insupportable.

Jusque-là, rien de bien difficile pour Marjorie et Claudia. Marjorie se contente de surveiller et même si Claudia a du plaisir avec les enfants, elle ne veut pas laisser Marjorie toute seule.

Elles s'assoient donc toutes les deux et restent ainsi très longtemps. Très très longtemps. Marjorie ne semble pas très causeuse.

— Marjorie? fait Claudia finalement. Est-ce que ça va?

— An-han.

— Les enfants ont l'air de bien s'amuser. Tu veux aller les rejoindre?

— Pas tout de suite.

Alors, elles restent assises encore un peu. Près d'elles, Joël et Bernard sont en train de se glisser dans des sacs de pommes de terre.

— On commence ici et on s'arrête à la souche, d'accord? dit Joël en pointant du doigt une vieille souche presque invisible dans un coin du jardin.

— D'accord, répond Bernard.

— Prêt? On y va! crie Joël.

Les garçons s'élancent. D'après le récit que m'en a fait Claudia, c'est à ce moment-là que Marjorie se lève soudain et déclare:

— Je veux faire une course!

— Laquelle? demande Claudia, surprise.

— La course en sacs de pommes de terre!

Marjorie prend deux sacs sur la pile et en tend un à Claudia. Elles sautillent jusqu'à la ligne de départ tracée par Joël, juste comme les garçons reviennent.

— Attention à la souche, les prévient Bernard.

— Je sais, répond Marjorie. J'habite ici, figure-toi.

— Bon. Prête ? demande Claudia.

— Oui, fait Marjorie.

— Prête ! Allons-y !

Elles se mettent à sauter comme des kangourous. Bernard et Joël les encouragent en hurlant. Marjorie fait des bonds surprenants. Elle atteint la souche bien avant Claudia.

C'est alors qu'elle s'effondre sur le sol.

— Oooooh ! gémit-elle en se tenant la cheville gauche.

Claudia sort de son sac. Joël et Bernard se précipitent vers elles.

— On t'avait dit de faire attention à la souche ! s'écrie Joël.

— Du calme, Joël, dit Claudia. Marjorie s'est blessée.

Elle s'agenouille et passe son bras autour des épaules de son amie.

— Qu'est-ce qui t'arrive ?

Marjorie grimace.

— Je crois que je me suis foulé la cheville.

— Laisse voir.

Marjorie retire sa main. Constatant que la cheville n'est pas enflée, Claudia demande :

— Tu peux la remuer ?

— Ça fait un peu mal.

— Un peu ? dit Claudia. Peux-tu tenir dessus ? Je vais t'aider.

Glissant son bras sous ceux de Marjorie, elle essaie de la soulever.

Marjorie pose son pied droit par terre. Mais lorsqu'elle tente de mettre son poids sur le gauche, son genou fléchit.

— Ouille!

— Oh! oh! dit Claudia. Je crois que tu devrais aller voir le médecin quand tes parents vont rentrer. En attendant, viens t'asseoir.

Claudia soutient Marjorie jusqu'à la chaise longue installée près de la table. La plupart des enfants, qui ont assisté à toute la scène, reprennent l'entraînement.

Marjorie s'assoit en tenant en l'air sa cheville qui commence à enfler.

— Hum, ça semble être une vraie foulure, convient Claudia.

— Zut, fait Marjorie. Plus question de participer au Festival sportif!

— Bah! il y en aura un autre l'an prochain, dit Claudia pour la consoler. Je vais aller chercher un sac de glaçons.

La réaction de Marjorie laisse Claudia perplexe. Elle n'a pas l'air d'être déçue du tout de ne pas participer au festival de l'école. On dirait même qu'elle est contente.

Ce soir-là, après que Claudia m'a raconté ce qui s'est passé, je m'empresse de téléphoner à Marjorie.

— Comment vas-tu? Claudia m'a parlé de ta cheville. As-tu vu le médecin?

— Oui, répond Marjorie. C'est une foulure. Je ne dois pas marcher sur mon pied gauche pendant deux semaines environ. J'ai des béquilles.

— C'est terrible!

— Oui, ça m'embête beaucoup. Surtout à cause du festival. Que veux-tu? C'est la vie! Au moins, je serai rétablie pour les vacances.

Marjorie est peut-être une bonne en composition littéraire, mais pour la comédie, elle n'est pas douée. Juste au son de sa voix, je devine qu'elle n'est pas très affectée de ne pas pouvoir participer au festival. Pourquoi fait-elle semblant, alors ? J'ai le sentiment qu'elle me cache quelque chose.

Mais je suis tellement fatiguée ces derniers temps que je me fais peut-être toutes sortes d'idées. Je mets vite fin à notre conversation et monte directement me coucher.

— Essayons… une autre… fois ! D'accord ?

— Attends… Attends… Pfff… Bon, on y va !

La première voix c'était la mienne, la seconde, celle d'Élise. Devinez ce que nous sommes en train de faire ! Eh oui, nous nous entraînons !

Nous avons répété les mêmes gestes au moins deux cents fois.

C'est déjà mardi. Plus qu'une journée avant le jour J ! Demain, c'est le Festival sportif de l'école. J'ai retravaillé notre chorégraphie pour la rendre plus facile. Les deux dernières semaines, nous nous sommes entraînées tous les jours après l'école (sauf quand j'avais des cours de ballet) et même la fin de semaine. Qu'est-ce que ça a donné ? Sommes-nous plus avancées ?

Ne m'en parlez pas.

Nous avons encore des petites difficultés à surmonter, mais nous sommes résolues à atteindre la perfection.

— Un, deux, trois, on y va ! dis-je. Tête, tête, bras, bras, en dehors, en dedans, gauche, droite…

Là, je m'arrête toujours de parler parce que c'est dur de parler, de nager et de danser en même temps.

Élise exécute assez bien les mouvements. Elle est plus gracieuse, mais elle ne s'attarde pas assez aux détails.

Moi, j'ai toujours tendance à couler jusqu'au menton, mais je m'améliore.

Nous avons fini la chorégraphie. Ce n'était pas parfait, mais beaucoup mieux que d'habitude.

— Veux-tu te reposer un peu? demandé-je à Élise.

— Répétons les mouvements de groupe, suggère-t-elle. Juste une dernière fois.

Nous répétons les mouvements de base que nous avons appris durant les cours et que nous connaissons par cœur.

Ensuite, nous faisons une pause. Nous nous assoyons au bord de la piscine pour reprendre notre souffle. À l'autre bout, quelques enfants et un adulte nagent paisiblement.

Nous restons silencieuses un moment. J'ai l'esprit en ébullition. La piscine est calme et pourtant, je jurerais entendre la musique de mademoiselle Corbeil résonner dans ma tête. J'ai l'impression que mon corps ondule, comme si j'étais encore dans l'eau. J'ai toujours beaucoup travaillé, mais jamais autant que ces dernières semaines.

Pourtant, je ne suis pas certaine que nous serons à la hauteur. J'aurais aimé qu'on répète avec un autre couple, juste pour comparer.

— Élise, as-tu remarqué qu'on n'a jamais vu les autres filles s'exercer après l'école?

— Elles ne doivent pas en avoir besoin, contrairement à nous.

— Dommage. Ç'aurait pu nous aider de les voir à l'œuvre.

— C'est vrai.

Élise balance ses pieds dans l'eau. Elle fronce les sourcils, comme si elle réfléchissait très fort.

— Jessie? dit-elle enfin.

— Oui?

— On n'a pas beaucoup parlé de demain. Je veux dire, vraiment parlé.

— Comment ça?

— Euh… es-tu aussi énervée que moi?

— On a fait beaucoup de progrès depuis qu'on a commencé, dis-je, après un moment d'hésitation. Nos mouvements sont moins contractés… (Inutile. Je n'arrive pas à mentir.) Mais, oui, avoué-je enfin. Je suis rongée par l'angoisse.

— Je suis sûre qu'on va faire des folles de nous! s'exclame Élise.

— On devrait peut-être tout laisser tomber!

— Ou embaucher des doublures qui prendraient notre place!

— Ou vider la piscine en secret!

Nos regards se croisent et nous nous sourions. Quelle chance que nous ayons le même genre d'humour!

— C'est vraiment curieux, dis-je. On s'entraîne ensemble depuis… combien de temps déjà? Un mois et demi? Et on se connaît à peine.

Élise rit.

— Je sais! Je me disais justement la même chose! Quand tout sera terminé, il faudrait qu'on fasse quelque chose ensemble.

— Super!

Il faut retourner à l'eau. C'est notre dernière séance

d'entraînement et nous n'avons pas vraiment le temps de bavarder.

Je ne sais pas si Élise et moi finirons par devenir de vraies amies, mais nous avons au moins un trait en commun : quand nous avons quelque chose en tête, rien ne peut nous arrêter.

Quitte à faire rire de nous par la suite.

— Un dernier essai ? dis-je.

— Oui, on a le temps. Allons-y ! Essayons de faire mieux que jamais !

Nous sautons à l'eau. Cette fois, je ne donne aucune directive. J'ai du mal à voir et à entendre Élise, mais nous avons répété cette chorégraphie si souvent que je devine tous ses mouvements. Et chaque fois qu'elle entre dans mon champ de vision, je constate que nous sommes parfaitement synchronisées.

À la fin, nous remontons sur le bord et reprenons notre souffle.

— Qu'en penses-tu ? demande Élise.

— Ce n'est pas encore la perfection, mais nos mouvements sont au point, dis-je en haletant.

Nous nous levons et nous dirigeons vers les douches des filles.

— Il faut voir les choses ainsi, dit Élise. À cette heure-ci demain, tout sera terminé.

— Enfin !

Nous nous habillons. J'ai la nausée. J'ai l'impression que je ne pourrai rien avaler au souper. Et dormir... certainement pas !

Estomac vide et insomnie. Quelle belle façon de se préparer à une compétition !

Dire qu'il y a quelques semaines à peine, j'ai parlé d'une piscine à mes parents ! Pour l'instant, je voudrais ne plus jamais revoir de piscine de ma vie.

lui, qu'il y a quelques baleines : peut-être qu'avec d'une plume mes parents vont l'inciter je veux ce plus jamais revu le theâtre de ma vie.

Je ne veux pas bouger. Le soleil matinal filtre par les stores et mon radio-réveil annonce la météo.

Je tire les couvertures sur ma tête.

Ça ne peut pas être l'heure. Pas déjà le festival ! Non !

J'ai l'impression de n'avoir dormi que dix minutes. En tout cas, je me suis réveillée trois fois, ça, j'en suis sûre. Je n'arrêtais pas de refaire toujours le même cauchemar : le festival était commencé et je nageais avec le groupe, mais mes yeux restaient fermés. Quand je les ouvrais, je me rendais compte que la musique s'était tue et que plus personne ne bougeait, sauf Élise et moi. Élise faisait la nage papillon tellement vite qu'elle créait des vagues. Les autres nous regardaient en riant. Je voulais arrêter, mais je n'y arrivais pas. Mes bras et mes jambes s'agitaient sans cesse. Les vagues d'Élise me poussaient au fond de l'eau. Je coulais… et je me réveillais toujours à ce moment-là.

Encore deux minutes de sommeil, c'est tout ce dont j'ai besoin pour chasser les souvenirs de la nuit. Je referme les yeux.

Je ne sais pas si je me suis assoupie, mais je me réveille en sursaut en entendant frapper à ma porte.

— Jessie ? Es-tu levée ?

C'est maman.

— An-han, dis-je d'une voix empâtée.

Je ne dois pas être très convaincante, car maman ouvre la porte.

— Tout va bien, ma poule ?

— Mmmmmm.

Elle s'assoit au bord du lit.

— Ce n'est pas ma Jessie, ça. Elle serait déjà en train de manger son deuxième bol de céréales. Tu es certaine que tout va bien ?

Je m'assois. Maman m'observe. Elle sourit, mais son regard est plein de sympathie et de compassion pour moi.

— Maman…, commencé-je en essayant de trouver les mots justes. Tu sais, papa et toi, vous n'êtes pas obligés de venir au festival aujourd'hui.

— C'est tout ce qui te préoccupe, ma chérie ?

Je hoche la tête.

— Tu as tellement travaillé, Jessie. On veut aller t'encourager.

— Mais maman… (Au bord des larmes, je prends une profonde inspiration et je détourne le regard.) Ce n'est pas comme le ballet. Je… je n'y arrive pas…

Voilà. Une larme coule sur ma joue, suivie d'une autre, puis d'une autre.

Maman s'approche et passe son bras autour de mes épaules.

— Tu es trop exigeante envers toi-même, Jessie. On sait bien que tu as commencé il y a quelques semaines à peine. Je crois que c'est déjà formidable qu'après si peu de temps, tu puisses participer au festival.

— Oui, mais attends de voir les autres filles. Elles, elles sont bonnes.

— Jessie, tu te rappelles les premiers temps où nous avons emménagé ici ? Tu trouvais les cours très difficiles dans ta nouvelle école. Tu as travaillé très fort pour remonter ta moyenne, et pourtant jamais tes notes n'ont été aussi bonnes qu'au New Jersey.

— Oui, mais je fais du mieux que je peux. Tu me dis toujours que c'est ce qui compte.

Maman approuve de la tête.

— C'est ce que je crois. Et je sais que tu es comme ça, Jessie. Quoi que tu fasses, tu le fais toujours de ton mieux. Au ballet, à l'école, comme gardienne, et comme nageuse. Elle s'arrête un instant et m'observe. À moins que tu aies passé ton temps ailleurs qu'à la piscine ?

Je souris.

— Non.

— Alors tu as fait ce que tu pouvais, et c'est suffisant. Peu importe le résultat, c'est l'effort qui compte. Et ne te préoccupe pas de nous décevoir ou pas. Du moment que tu fais de ton mieux, nous sommes fiers de toi.

— Tu ne dis pas ça pour me faire plaisir ?

Maman rit et m'embrasse très fort.

— Bien sûr que non ! Maintenant, dépêche-toi de venir prendre ton déjeuner.

— D'accord. Merci.

Les paroles de ma mère m'ont fait beaucoup de bien. Et elles m'ont donné le courage de sortir du lit. Je sais que j'ai fait mon possible et je sais que papa et elle n'auront pas honte de moi. C'est déjà fantastique.

Mais les autres ? Que mes parents soient fiers de mes efforts n'empêchera pas les élèves de l'école de se moquer d'Élise et de moi.

Inutile de vous dire que je n'avale pas grand-chose au déjeuner. Je pars pour l'école pleine d'appréhension et l'estomac noué. Heureusement que les cours ont été annulés pour la journée.

Soudain, ma déprime s'évanouit comme par enchantement. C'est peut-être le ciel bleu et la brise fraîche du printemps qui chassent mes pensées lugubres. Ou les cris et les rires que j'entends en approchant de l'école. Ou encore les drapeaux et les bannières qui flottent ici et là sur le terrain. Dans un coin du terrain de jeux, des élèves et des adultes montent un comptoir de rafraîchissements.

Je dois retrouver Marjorie devant l'entrée principale de l'école. Je n'attends que cinq minutes. Une des voitures familiales des Picard s'arrête devant moi. Monsieur Picard en descend, court vers le côté du passager et ouvre la portière. Il aide Marjorie à sortir, puis lui donne ses béquilles.

— Jessie, dit-il en se tournant vers moi avec un sourire, je te la confie.

— Parfait !

— À plus tard !

— Au revoir ! crions-nous, Marjorie et moi.

Tandis qu'il s'éloigne, Marjorie se met lentement en marche vers le terrain de jeux.

— Tu es très habile avec tes béquilles, lui dis-je.

— Merci. Ce n'est pas si difficile que ça en a l'air. Le médecin dit que je n'en aurai besoin qu'une semaine environ. Dire que j'ai trouvé le moyen de me fouler la cheville !

Je secoue la tête en signe de sympathie, mais je ne suis pas convaincue. Pourquoi Marjorie n'admet-elle pas qu'elle ne voulait pas participer au festival ? Jusqu'ici, chaque fois que j'ai voulu lui poser la question, il m'a semblé que ce n'était pas le moment.

C'est curieux, mais j'ai comme l'impression qu'elle s'est foulé la cheville exprès.

Nous traversons le terrain et j'aide Marjorie à s'installer dans la première rangée des gradins.

— Quand a lieu la synchro ? demande-t-elle.

— Les épreuves de natation sont les dernières, dis-je. La foule devra se déplacer jusqu'à la piscine du Centre communautaire.

— Ça te fait long à attendre.

— Oui.

Si je ne me dégonfle pas avant.

À neuf heures, les gradins sont envahis par les élèves, les parents et les professeurs. Sophie est assise derrière Marjorie et moi. Maman, papa, Jaja et tante Cécile sont plus loin. J'aperçois quelques-unes des filles du cours de synchro.

Christine, Claudia et Diane bavardent ensemble sur le terrain.

— Un, deux... Un, deux... Ça fonctionne ? retentit la voix du directeur dans les haut-parleurs. (Il est dans une cabine tout en haut des gradins.)

— Oui ! crient une centaine d'élèves.

— Bon ! Alors, bienvenue à tous au Festival sportif annuel de l'école de Nouville !

— Yééééé ! hurlent les élèves.

92

— Avant de commencer, laissez-moi vous dire quelques mots…

Quelques mots ! En fait, le directeur se lance dans un discours interminable et ennuyant comme la pluie.

Quand enfin il a terminé, les applaudissements éclatent tellement fort que Jaja se met à pleurer. Maman le tient dans ses bras tandis que papa et tante Cécile essaient de le calmer.

— Première épreuve… le cent mètres ! annonce le directeur.

Une bonne idée de commencer par une course brève et excitante. Et Christine en est ! (En plus de la course contre Alain.)

— Vas-y, Christine ! hurlé-je.

— À vos marques… prêts… partez ! crie le directeur.

Pan !

Oh ! un vrai coup de pistolet !

Ah ! si vous pouviez voir Christine ! Cheveux tirés en arrière, muscles tendus, mâchoires serrées… Elle a l'air d'une vraie professionnelle !

Elle obtient la deuxième place, et elle est la première chez les filles !

Je l'applaudis bruyamment. Je ne savais pas qu'elle était si rapide. Quand elle monte sur le podium pour recevoir sa médaille d'argent, tous les membres du CBS qui sont sur le terrain hurlent « Vive la présidente ! » (au grand embarras de Christine).

Viennent ensuite des épreuves plus longues : une course de demi-fond et une course de relais. C'est excitant, bien sûr, mais pas autant que… le deux cents mètres à reculons !

J'imagine que cette course a été ajoutée au programme

pour faire participer le plus grand nombre possible d'élèves qui ne sont pas doués pour les sports. En effet, les jeunes qui se présentent à la ligne de départ n'ont rien des grands athlètes.

Prenez Claudia, par exemple. Elle porte des shorts roses à rayures turquoise, un haut coordonné, sans manches, des souliers de sport flambant neufs, et des bretelles à fleurs ! Ses cheveux sont retenus sur le dessus de sa tête par une barrette argent en forme d'anneaux olympiques. Si c'était un défilé de mode pour vêtements de sport, elle remporterait le premier prix. Au coup de pistolet, les concurrents partent à reculons. La piste ovale est divisée en six couloirs, mais à peu près aucun des coureurs n'y prend garde. Un garçon bien bâti heurte Jeanne Gagnon, qui le repousse hors de la piste. Justin Laforêt se retourne trop, perd l'équilibre et s'étend de tout son long. Frédéric Gignac trébuche sur lui. Alex Riopelle quitte la piste et ne semble pas être en mesure d'y revenir. Claudia réussit à rester debout, mais elle court de façon curieuse, sur la pointe des pieds, et sa chevelure bat comme la queue d'un cheval lancé au galop.

C'est délirant.

Une des épreuves suivantes est le lancer du javelot. Comme c'est un sport que personne n'a jamais pratiqué à l'école, tous les participants sont de force à peu près égale. Diane ne gagne pas, mais elle lance son javelot très gracieusement, réussissant un arc parfait. Elle paraît un peu déçue, mais je suis très fière d'elle.

Je pense alors à Anne-Marie. Je comprends qu'elle n'ait pas voulu participer, mais je trouve dommage qu'elle ne soit même pas venue en spectatrice. Elle se serait bien amusée.

Tout en songeant à ça, je me dirige vers le comptoir pour acheter de la limonade pour Marjorie et moi. Devinez qui est derrière le comptoir...

— Anne-Marie ! m'écrié-je. Je ne savais pas que tu étais ici.

— Salut ! Je n'étais pas censée venir. C'est Charlotte qui m'a entraînée.

— Charlotte ?

— Tu te souviens que je devais lui téléphoner ? Eh bien, je lui ai dit que je ne participais pas au festival de l'école et qu'elle ne devait pas avoir honte de ne pas s'être inscrite aux mini-olympiades. Je lui ai expliqué que l'école accordait trop d'importance aux sports et qu'on devrait comprendre que tout le monde ne veut pas devenir athlète. Tu sais ce qu'elle m'a répondu ? Que j'avais l'air fâchée, comme si je voulais participer, mais que quelque chose m'en empêchait.

— C'était vrai ? dis-je. Étais-tu fâchée ?

Anne-Marie hausse les épaules.

— Peut-être. J'avais l'impression qu'on faisait beaucoup trop de bruit autour d'un événement qui n'intéressait pas tout le monde. J'ai dit à Charlotte que j'aimerais participer, mais que je n'avais pas envie d'être tournée en ridicule. Elle m'a répondu : « Alors, tu pourrais vendre des hot-dogs ! Comme ça, tu en ferais partie. Ils doivent bien avoir besoin d'aide. »

— Chère Charlotte !

Anne-Marie sourit.

— Bon, qu'est-ce que je te sers ? Du jus ? Un soda ?

Avant que je puisse me décider, la voix du directeur retentit une fois de plus.

— À présent, l'événement que vous attendiez tous avec impatience : Le Grand Défi mixte, opposant Christine Thomas à Alain Grenon !

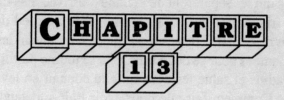

CHAPITRE 13

Anne-Marie et moi encourageons bruyamment Christine, puis je lui commande deux citronnades.

Elle prend un pichet, remplit fébrilement deux verres et en renverse presque autant sur le comptoir.

— Vite, prends-les! Ne rate pas la course!

— Merci!

Je la paie, puis je cours me rasseoir à ma place.

Marjorie me serre la main.

— Oh! c'est tellement énervant! dit-elle.

Dans les gradins, on entendrait voler une mouche. Je pense que l'école tout entière est au courant du pari. Et quel pari! Un contre un, garçon contre fille. Même ceux qui ne connaissent pas Christine et Alain retiennent leur souffle.

Une équipe s'affaire à mettre les obstacles en place sur deux pistes identiques, de façon que les deux rivaux courent en même temps. D'abord, Christine et Alain devront courir environ cinquante mètres, puis faire un saut en longueur par-dessus une trappe de sable (ils devront se serrer, car la trappe est plutôt étroite), franchir trois haies basses, bondir par-dessus une barre assez haute, courir en passant dans une demi-douzaine de pneus posés à plat sur le sol, et, enfin, parcourir le plus vite possible les derniers vingt mètres qui les sépareront de la ligne d'arrivée. Pas facile.

Je frissonne. Voilà Christine, seule au pied de son poteau de départ. Elle court sur place en remuant les bras et les jambes pour se dégourdir. Elle se tourne parfois vers les gradins et salue les gens qu'elle connaît en levant le pouce. Comment fait-elle pour avoir l'air si détendue, si confiante ?

Près de la piste, Alain fait le clown pour le public. Il a plié son bras et gonfle son biceps. Puis il imite tous les gestes de Christine en les exagérant comme font certains garçons quand ils se moquent des filles. Personne ne rit, mais il continue tout de même. À la fin, il exécute une série de tractions à toute vitesse, comme s'il voulait prouver ses talents d'athlète.

Dégoûtant. Du Alain Grenon tout craché.

Malheureusement pour Christine, il a l'air en pleine forme. Ses jambes sont solides, ses tractions étaient parfaites, et avec ses vêtements d'athlétisme, il a vraiment l'allure d'un sportif.

— S'il gagne, je meurs ! dit Sophie en se penchant vers moi.

— Moi, je le frappe avec ma béquille, ajoute Marjorie.

— Pourvu que l'idée de Christine ne tourne pas à la catastrophe, s'inquiète Sophie.

— Une mauvaise idée ? Christine ? dis-je. Ce serait bien la première fois.

— Il y a un début à tout.

— Mesdames et messieurs, lance la voix du directeur dans les haut-parleurs, les premiers concurrents à s'affronter sont deux courageux élèves de deuxième secondaire. Et en ce sens, ils sont déjà tous deux gagnants !

Sophie se penche vers Marjorie et moi.

— Ouais, mais le vrai gagnant aura quelqu'un pour le servir pendant une semaine complète !

— Vous imaginez Christine en servante ? dis-je. Et au service d'Alain en plus !

Sophie lève les yeux au ciel.

— Jamais, au grand jamais !

Christine s'avance nonchalamment vers la ligne de départ, toujours souriante.

— J'espère qu'elle n'est pas trop sûre d'elle-même ! dit Marjorie.

— *À vos marques !* hurle le directeur.

Christine et Alain s'accroupissent sur leur ligne de départ. Alain dit quelque chose à Christine et celle-ci lui rit au nez.

— Ne te laisse pas distraire, Christine ! dis-je dans un souffle.

— *Prêts ?… Partez !*

Bang !

Christine trébuche.

Ça y est ! Je vais faire une crise cardiaque ! Marjorie et Sophie poussent un cri.

Alain s'élance de toutes ses forces.

Cependant, Christine se ressaisit rapidement. Elle n'a perdu qu'une fraction de seconde, mais beaucoup de terrain.

Elle court comme une folle. Elle atteint la trappe de sable au moment où Alain est en train de sauter par-dessus.

Hop ! Il atterrit, perd l'équilibre et, juste comme Christine s'élance, il tombe sur sa gauche.

Je ferme les yeux. Quand je les rouvre, Christine et Alain sont tous deux étendus et essaient de se dépêtrer en se repoussant l'un l'autre.

Ils se relèvent enfin et repartent. Voilà les haies. C'est Christine qui la première atteint les siennes. Elle bondit. Oh ! son pied droit touche la haie qui s'abat sur le sol ! Alain, lui, franchit aisément l'obstacle.

— Ooooh ! gémis-je.

Les deux coureurs sautent leur deuxième haie, leur troisième… enfin presque. La chaussure d'Alain se prend dans la troisième haie qui bascule.

Alain se retourne pour voir ce qui se passe. Christine en profite pour le dépasser.

— Yéééé ! hurlons-nous.

Voilà le saut en hauteur. Christine plonge en avant, la tête la première. Ses épaules passent, sa taille, ses genoux… mais ses chaussures heurtent la barre !

Elle atterrit en boule. La barre vacille… vacille… s'immobilise. Elle a tenu !

Mais Christine a perdu une seconde ou deux à regarder la barre, tandis qu'Alain saute par-dessus la sienne sans y toucher et prend les devants.

Voilà les pneus. Alain pose le pied dans le premier, saute dans le deuxième, puis le troisième…

Dans le quatrième, son pied reste coincé ! Il perd l'équilibre, mais amortit sa chute avec ses mains. Christine le dépasse, en faisant de grandes et hautes enjambées.

Alain devient rouge.

Reste le dernier sprint jusqu'au fil d'arrivée.

Alain se redresse et passe ses deux derniers pneus un peu après Christine, qui se donne une poussée et fonce tête baissée.

Alain la talonne et réussit à réduire encore la distance qui les sépare. Il semble furieux.

Debout, nous hurlons à pleins poumons.

— Yééééé !

La foule est levée et crie avec nous.

Christine et Alain sont côte à côte. Plus que quelques mètres avant l'arrivée ! Mais Alain accélère !

Mon estomac se noue. Il va gagner ! Marjorie et Sophie sont figées de stupeur.

Mais dans un sursaut d'énergie, Christine le rattrape !

Incrédule, Alain lui jette un regard de côté. Il était sûr de gagner, jamais il n'aurait pensé que Christine pourrait le rejoindre ! Il est visiblement troublé.

C'est tout ce dont avait besoin Christine. Elle garde les yeux braqués vers l'avant, prend de la vitesse... et ils atteignent la ligne d'arrivée au même moment !

Du moins, c'est ce qui nous semble de l'endroit où nous sommes. Les gens des plus proches rangées applaudissent à tout rompre, mais on dirait qu'il se passe quelque chose...

Les juges (des professeurs) discutent entre eux en consultant le chronomètre et en faisant des gestes en direction du fil d'arrivée. Christine et Alain marchent en cercle pour reprendre leur souffle, s'ignorant l'un l'autre.

Les officiels semblent s'être mis d'accord. L'un d'eux fait un signe au directeur.

Je retiens mon souffle. Marjorie me presse la main, Sophie m'agrippe par l'épaule.

— Mesdames et messieurs, nous avons un gagnant ! annonce le directeur. Il s'agit de… Christine Thomas !

Je hurle à m'en faire éclater les poumons.

Christine pousse un cri de triomphe et sautille sur place, les deux bras en l'air. Ce n'est pas la modestie qui l'étouffe.

Jamais je n'aurais pensé être désolée pour Alain, mais il a une mine tellement déconfite ! Les épaules affaissées, les lèvres pincées comme s'il venait de mordre dans un citron, il fait presque pitié.

D'un geste de la main, Christine lui ordonne de venir se placer à côté d'elle.

Il fulmine, mais je suppose qu'il se rend compte qu'un pari, c'est un pari. La tête basse, il obéit.

Sa semaine comme valet de pied de Christine vient de commencer.

Les autres épreuves se succèdent à un rythme endiablé et, déjà, le directeur annonce les épreuves de natation qui auront lieu dans une vingtaine de minutes.

Ça y est, c'est l'angoisse ! La course entre Christine et Alain m'a fait complètement oublier ma propre compétition, mais le moment fatidique est arrivé.

Si seulement tous les spectateurs pouvaient décider de rentrer chez eux ! Je ne risquerais pas alors d'être la risée de Nouville.

Hélas ! la foule (qui m'entraîne avec elle) se dirige bel et bien vers la piscine.

— Jessie ! lance la voix d'Élise.

Je me retourne et je l'aperçois qui accourt vers moi.

— Ah ! te voilà ! dit-elle. Je ne t'ai pas vue dans les gradins.

Quel soulagement! Je la présente à Marjorie et à Sophie. Diane et Anne-Marie se joignent à nous, puis Claudia et enfin Christine, avec son « domestique » sur les talons.

On s'embrasse, on se félicite. Les gens semblent vouloir entourer Christine. Tout le monde (sauf Alain) a l'air détendu, rit et blague.

Je me sens malââââde.

Sophie court devant, parce que les épreuves individuelles de natation se déroulent en premier. Quand Élise et moi arrivons à la piscine, nous allons directement au vestiaire nous changer.

Je suis peinée de ne pas pouvoir assister à la course de Sophie. Je suis bien trop occupée à repasser les mouvements de notre chorégraphie avec Élise dans le vestiaire.

Nous reprenons déjà depuis vingt fois quand mademoiselle Corbeil entre en lançant:

— Allons, les filles! C'est à nous!

Tout le monde se lève d'un bond. Je reste figée sur mon banc.

— Viens, dit Élise. C'est presque fini.

Je pousse un long soupir.

— Ce n'est même pas commencé.

— Hé! j'ai une idée. Si c'est le désastre, je te paie une crème glacée. Si on est juste médiocres, c'est toi qui me l'offres.

J'y réfléchis un moment, ça me détend un peu.

— Bon, allons-y! dis-je en me levant enfin.

— Et pour la crème glacée?

— Je suis d'accord.

Nous nous regardons en souriant et nous gagnons la piscine.

En apercevant la foule, j'avale ma salive. La moitié des gens sont debout, car il n'y a pas de gradins comme à l'école. Les autres sont assis sur des chaises pliantes. Sur un côté, trois professeurs et le directeur siègent à une table avec des blocs-notes et des crayons. Ce sont les juges.

— Oh! la la! marmonne Élise.

Mademoiselle Corbeil fait une brève introduction, puis vient le temps de la démonstration de groupe. La musique commence. Au moment voulu, le premier groupe saute dans l'eau, et peu après, c'est à nous.

D'abord nous exécutons des mouvements de base, puis nous suivons la chorégraphie de groupe et formons à la surface de l'eau des carrés et des étoiles. Nous faisons le salut final avec un bras dressé et nous regagnons le bord. Tout s'est déroulé très vite. Rien de ce que je redoutais ne s'est produit. Je n'ai pas coulé, je ne suis entrée en collision avec personne et je ne me suis pas retrouvée seule à l'autre bout de la piscine.

Les spectateurs semblent très impressionnés par la démonstration.

— Et maintenant, annonce mademoiselle Corbeil, voici la partie la plus créatrice de notre spectacle, les épreuves libres, en couples!

Élise et moi restons assises avec les autres sur un banc. Nous sommes les deuxièmes.

Je ne me souviens pas du tout de la performance du premier couple. Je repasse dans ma tête notre chorégraphie quand soudain… j'ai un trou de mémoire.

— Élise! murmuré-je, désespérée. Qu'est-ce qu'on fait après le tire-bouchon?

Élise me lance un regard affolé.

— À présent, annonce mademoiselle Corbeil, voici Élise Charron et Jessica Raymond !

— Vas-y, Jessie ! crie une voix que je reconnais bien. (C'est mon père.)

Ce n'est plus le temps de réfléchir. Si j'oublie un mouvement, tant pis.

Nous nous avançons vers le bord et prenons notre pose. La musique se fait entendre.

Nous sautons dans l'eau. J'ai peut-être un trou de mémoire, mais mon corps, lui, se souvient de tout. Je monte à la surface et Élise et moi évoluons en parfaite harmonie. Culbutes, passage de l'une sous l'autre, tire-bouchon, bras à l'égyptienne et, en finale… moi, juchée sur les épaules d'Élise. C'est terminé !

Avons-nous réussi ? Je n'en ai aucune idée. Mais les gens applaudissent.

Élise et moi saluons avant de regagner nos places sur le banc. Nous fixons le vide. Je ne sais pas comment se sent Élise, mais moi je n'ai plus un gramme d'énergie. Tout ce temps, tout ce travail… pfuit ! en une minute, c'est déjà chose du passé.

Les autres couples s'exécutent, mais je n'arrive pas à fixer mon attention sur leurs chorégraphies. Quand le directeur se lève enfin, je me sens soulagée car c'est signe que nous allons bientôt rentrer chez nous.

— Voici donc terminées les épreuves de natation, commence-t-il.

Tout le monde applaudit. Élise et moi, nous nous apprêtons à partir car je commence à avoir froid et j'ai hâte d'aller me changer.

— Il ne reste plus que la remise des médailles…, continue le directeur.

Après avoir fait quelques pas, je m'arrête. Ce serait un peu impoli de ne pas applaudir les gagnants.

— D'abord, la nage synchronisée. La décision a été dure à prendre, comme vous pouvez l'imaginer…

Vite ! Vite !

— Mais la médaille d'or pour l'épreuve libre en couples revient à…

Il s'interrompt un court instant pour faire durer le suspense. Je gèle et j'en ai assez.

— Jessica Raymond et Élise Charron !

Non, c'est une plaisanterie ! Je regarde la foule et j'aperçois maman, papa et tante Cécile debout, qui applaudissent. Et je sens les bras d'Élise qui me serrent à m'étouffer.

— On a réussi ! On a réussi ! crie-t-elle.

Je ne sais pas trop si je dois m'évanouir ou pleurer. Mais j'embrasse Élise et nous sautons comme des petites filles.

Toute joyeuse, mademoiselle Corbeil nous touche l'épaule gentiment. Je me retourne et je vois le directeur, exhibant deux médailles d'or…

Nous nous avançons, Élise et moi, nos pieds effleurant à peine le sol.

CHAPITRE 14

— Les sacs sont empilés ?
— Oui.
— Oui *qui* ?
— Oui, *Madame*.

Alain serre les dents. Il n'est pas habitué à suivre des ordres, et devoir dire « Madame » à Christine le fait enrager.

Les mini-olympiades vont avoir lieu dans quelques heures et nous travaillons d'arrache-pied, mais le valet personnel de Christine travaille encore plus que nous.

— Les piles du porte-voix ont été remplacées ? aboie Christine.
— Mmmoui…, marmonne Alain.
— Quoi ?
— Oui, *Madame* !
— Parfait ! Maintenant, va chercher les jus. Et que ça saute !

Alain se traîne vers la maison.

— J'ai dit et que ça saute ! hurle Christine.

Alain accélère un peu, et Christine se tourne vers nous en souriant.

— Christine, tu es terrible! dit Claudia avec un sourire complice.

Christine hausse les épaules.

— Hé! Il a accepté le pari, non? Imaginez un peu ce qu'il m'aurait fait subir si j'avais perdu!

— Tu as raison, approuve Claudia.

D'où nous sommes, on entend monsieur Lapierre accueillir Alain: «Salut, Alain! Tout est sur les plateaux. Tu veux goûter aux biscuits, avant?»

— Eh bien, il y a au moins une personne qui est gentille avec lui, dis-je.

À ce moment, une voix familière lance:

— Salut, les filles!

Habituée que je suis de toujours la voir en maillot de bain, j'ai failli ne pas reconnaître Élise, car elle est habillée normalement.

— Salut, Élise! dis-je. Viens.

— Comment ça va ici? dit-elle. Je peux vous aider?

— Non, Alain fait tout, répond Claudia.

Alain sort de la maison avec deux plateaux dans les mains.

— Pose-les sur la table et va remplir la pataugeoire! lui ordonne Christine.

— Elle lui en fait baver, hein? dit Élise.

— Tu parles! fait Sophie. Hé! les filles! pouvez-vous m'aider à installer la table pour la remise des prix?

Élise et moi aidons Sophie à transporter la table sur le côté du jardin, là où les rubans vont être décernés aux gagnants. Comme tout le monde va gagner, il y a beaucoup de rubans sur lesquels nous avons inscrit des choses comme : PREMIER PRIX D'EFFORT, PREMIER PRIX D'ENTHOUSIASME, PREMIER PRIX DE TÉNACITÉ, et ainsi de suite.

J'ai emmené Becca avec moi et, avec Marjorie, elle installe les balises pour les courses de vitesse. La cheville de Marjorie va beaucoup mieux. Elle marche déjà sans aide.

Une guérison plutôt rapide, non ? De quoi laisser songeur...

Bref... À neuf heures, une heure avant le début des mini-olympiades, Charlotte arrive chargée d'une pile de grandes feuilles de papier.

Becca court à sa rencontre et Claudia s'écrie :

— Les affiches sont arrivées !

Charlotte, l'anti-athlète, est devenue l'affichiste officielle des mini-olympiades. Elle a eu cette idée en voyant qu'Anne-Marie avait accepté sa suggestion de travailler dans un stand au festival de l'école.

Anne-Marie et moi suivons Becca, et nous aidons Charlotte à coller une affiche sur un lampadaire :

SITE OFFICIEL
DES PREMIÈRES
MINI-OLYMPIADES
DU CBS
DE 10 H À 16 H

À neuf heures quarante-cinq précises, les Hobart et les Picard arrivent (dans trois voitures), et le charivari commence.

Les parents des deux familles tirent du coffre des Hobart quatre gros sacs de toile.

— Où mettons-nous les haltères ? demande madame Hobart.

— Près du garage, je crois, répond Anne-Marie.

— Je veux m'entraîner ! lance Nicolas Picard en sautillant derrière elles.

— Non ! Moi ! dit Jean Hobart.

— Je suis le premier ! proteste Jacques Hobart.

— Un instant, les garçons…, commence Anne-Marie.

— C'est moi qui l'ai dit en premier ! crie Nicolas.

— Tu ne l'as pas dit assez fort ! rétorque Jacques.

— Moi ! Moi ! insiste Jean, au bord des larmes.

— Papa ! crie Nicolas.

— Maman ! hurle Jacques.

Il reste quinze minutes avant les jeux et voici déjà la première bagarre. La journée risque d'être longue.

Les Robitaille arrivent bientôt. Jérôme, qui a sept ans, est surnommé par les membres du CBS « le désastre ambulant », et il mérite bien son nom.

Au milieu du terrain, Alain et Christine ont installé une pataugeoire pour les courses de voiliers. Les participants (deux à la fois) devront placer leurs bateaux à la ligne de départ, puis souffler dans de longues pailles pour les faire avancer.

Un peu plus loin, sur un gros érable, on a posé une cible recouverte de velcro pour le concours de tir à l'arc. C'est malheureusement cette épreuve qui attire le regard de Jérôme.

— Hé ! je veux être Robin des Bois ! crie-t-il.

Il court vers la cible, trébuche et…

Plouf ! Devinez où il est allé se ramasser ? Hé oui, la tête la première dans la pataugeoire.

110

Madame Robitaille et Christine se précipitent vers lui. Jérôme s'assoit, l'air hébété. Il a un voilier accroché au col. Il sourit et hausse les épaules.

À quelque chose, malheur est bon… Jérôme est obligé de rentrer chez lui se changer et nous n'avons plus à nous en inquiéter pour l'instant.

Au cours des minutes qui suivent, la famille de Christine arrive, puis ce sont les Hsu, les Prieur, les Caron, les Mainville, les Biron… et j'arrête de compter.

À dix heures, Christine donne un coup de sifflet. Quand tout le monde s'est tu, elle annonce, en lisant une fiche qu'elle a préparée :

— Les premières mini-olympiades annuelles du CBS vont bientôt commencer. Les volontaires du Club ainsi que les parents seront à leur poste tout au long de la journée. Les épreuves vont se poursuivre aussi longtemps que nous aurons des concurrents. Les enfants, si une épreuve vous intéresse et qu'il n'y a personne pour la superviser, faites-le savoir aux filles du CBS. Si vous devez partir plus tôt, vous pouvez revenir pour la remise des prix qui aura lieu à seize heures. Bonne chance à tous !

Les enfants se dispersent en courant et en hurlant. Il y a un peu de bagarre du côté de la ligne de départ des courses de vitesse, mais avec son calme imperturbable, Guillaume en vient à bout.

Dans un coin, au fond du terrain, Le « Défi base-ball » commence. Heureusement, Louis Brunet est arrivé et il a accepté d'en assumer la surveillance.

Je dis heureusement, mais quand il se met à montrer aux enfants comment lancer, c'est une autre histoire. Évidemment, Louis fait partie de l'équipe de base-ball de l'école, et il s'y connaît. Mais quand les balles se mettent à voler en tous sens… Martine Arnaud en reçoit une sur la tête au beau milieu d'une course en sacs de pommes de terre. Matthieu Biron frappe un coup de circuit qui atterrit sur la poitrine de Léonard Papadakis en train de soulever des haltères. Léonard pousse un cri de surprise, ses coudes fléchissent et les haltères retombent sur lui. Mais monsieur Picard, qui le surveillait, vient à son secours.

— Il a perdu ! crie David tout heureux. J'ai gagné !

— C'est pas juste ! gémit Léonard.

Anne-Marie a une longue discussion avec Louis et tout le reste de l'après-midi, il se contente de faire frapper aux enfants des petites chandelles.

Malgré tout le brouhaha, la journée se déroule très bien. On ne manque de rien, les parents coopèrent, et en plus des balles, des bulles de savon et des ballons-gants de chirurgien, il flotte dans l'air un enthousiasme communicatif.

Les enfants débordent d'entrain. La plupart participent à deux ou trois épreuves, et certains plusieurs fois de suite à la même pour essayer de battre un record.

Et puis il y a le petit André Marchand. Il avait décidé de ne pas participer, mais il court partout, et rit, faisant la queue pour presque chaque épreuve. Il s'inscrit au concours de tir à l'arc, et rate la cible. À la course de vitesse, il arrive avant-dernier. Lors de la course en sacs de pommes de terre, il tombe face contre terre. Il essaie la course de voiliers, mais ne réussit pas à souffler assez fort et il s'en tire avec un mal de tête.

À un moment donné, je l'aperçois, blotti dans les bras de sa mère et suçant son pouce. Pauvre petit, il a fait tant d'efforts !

Christine supervise le tout, passant d'une épreuve à l'autre. Où qu'elle aille, elle a son valet sur les talons. Alain ramasse les fléchettes éparpillées ici et là. Alain lace des souliers. Alain nettoie les dégâts de jus. Alain remplit les verres de citronnade (sans oublier de se servir).

Puis Jonathan Mainville éprouve certains problèmes après une course en sacs de pommes de terre. Il aurait engouffré un sac entier de biscuits juste avant la course et avec tous ces sauts… je n'ai pas besoin d'entrer dans les détails. Mais devinez qui doit tout nettoyer…

À tout prendre, je pense que ce samedi ne sera pas sur la liste des plus belles journées d'Alain Grenon.

Le temps file. Ce qui m'amuse le plus, c'est de voir l'excitation de ma sœur. Becca ne participe à aucune épreuve, mais elle prend un plaisir fou à regarder! Toute la journée, les yeux ronds, elle court ici et là, comme si elle assistait aux vrais Jeux olympiques.

C'était ça l'idée, au départ, n'est-ce pas?

La dernière épreuve de la journée est la course de fond. Il s'agit de faire deux fois le tour du terrain. Suzon Barrette, Jean Hobart et Jeanne Prieur sont les trois concurrents. Guillaume est posté à la ligne de départ, avec l'air de quelqu'un qui a hâte de retrouver son fauteuil et ses pantoufles.

Soudain, André surgit sur le terrain.

— Attends, papa! Je veux participer!

Guillaume sourit faiblement. Il pense sans doute la même chose que moi. André devrait abandonner avant d'être complètement découragé. Pourtant, les autres ont à peu près son âge (quatre ans), alors il a peut-être une chance.

André se place sur la ligne de départ avec les autres.

— Bon, attention! Prêts… partez! fait Guillaume.

Les enfants s'élancent. Jean prend un départ rapide, mais Jeanne et André le talonnent. Suzon est dernière et hurle «Attendez-moi! Attendez-moi!».

Son frère Bruno se frappe le front de découragement.

— Ils ne peuvent pas attendre! C'est une course! lui crie-t-il.

Les coureurs disparaissent derrière la maison, puis reparaissent quelques instants plus tard de l'autre côté. André et Jeanne sont côte à côte.

— Vas-y, André! crie Christine. (Je voudrais faire comme elle, mais ce ne serait pas juste. Je ne suis pas sa sœur, moi.)

Ils amorcent le second tour. André prend la tête. Il est rouge, il halète.

À la fin, André est troisième. Il n'a pas ralenti et il cherche son souffle. Il passe la ligne d'arrivée juste devant Suzon.

Heureusement, Guillaume l'attend les bras ouverts, prêt à recevoir son petit garçon déçu qui a tenu bon jusqu'au bout.

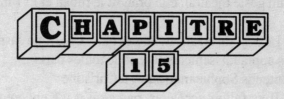

CHAPITRE 15

— Psssst! Vas-y, appuie! dit Christine à mi-voix.

Debout à côté du magnétophone de Diane qu'on a branché à l'extérieur de la maison, Alain fait la grimace. Obéissant à Christine, il appuie sur le bouton.

Une fanfare de trompettes résonne dans la cour.

— Oyez! Oyez! annonce Christine dans son porte-voix. Les mini-olympiades tirent maintenant à leur fin! Que tout le monde se rassemble pour assister à la remise des prix!

Christine dépose son porte-voix et chuchote à Alain:

— C'est assez! Éteins tout!

Alain laisse jouer la musique quelques secondes encore, puis il ferme l'appareil avec un petit sourire.

— Merci… *maestro*, dit Christine d'une voix forte. La corbeille, je vous prie!

Les autres membres du CBS sont à côté de la table, tenant une corbeille en osier pleine de rubans. Il est seize heures dix-sept minutes, et nous venons de passer les dix-sept minutes les plus hystériques de notre vie: il fallait écrire les noms sur les rubans et s'assurer que chaque enfant en recevrait un.

Sophie tend la corbeille et Christine pige un ruban.

— J'ai le grand plaisir de remettre le premier prix !

D'un geste théâtral, elle brandit le ruban et lit l'inscription.

— Le prix de créativité revient à… Charlotte Jasmin !

Les applaudissements fusent de toutes parts.

J'entends Sophie murmurer à Christine :

— Il va falloir accélérer, parce qu'il y a encore un tas de rubans à donner.

Christine prend un deuxième ruban et lis :

— Le prix de course de fond est décerné à… Jean Hobart !

Tandis que Jean vient en courant chercher son prix, je jette un regard à André. Je devine à sa petite mine triste et boudeuse, qu'il pense à cette course qu'il a failli gagner.

— Le prix de l'haltérophile le plus tenace… Léonard Papadakis ! annonce Christine.

La foule applaudit et le visage de Léonard rayonne de bonheur. Il saisit son ruban et le brandit triomphalement.

— Le prix de la plus grande détermination… Elle fait une pause, et un sourire chaleureux illumine son visage. C'est un prix très spécial que nous décernons à… André Marchand !

Abasourdi, André regarde autour de lui les gens applaudir avec chaleur. Monsieur Marchand l'embrasse et le pousse doucement en avant.

Je l'entends dire merci à Christine d'une toute petite voix.

La cérémonie de remise des prix a rendu tout le monde heureux. Nous avons réussi à décerner un ruban à chaque enfant.

À dix-sept heures, à peu près tout le monde est parti.

Les membres du CBS restent pour nettoyer le terrain. Sauf Christine qui, étendue sur une chaise longue, sirote un thé glacé.

Son valet la remplace.

— Encore, s'il vous plaît, dit Christine en tendant son verre vide à Alain qui va le remplir dans la maison en grognant. Vous savez, je suis très fière de mon demi-frère, ajoute-t-elle. Il a été très persévérant, toute la journée.

Diane approuve.

— Ce ne sont que des petits enfants, et pourtant, des fois, ils nous donnent de fameuses leçons.

— Oui, dit Anne-Marie. Prenez Charlotte. Elle a réussi un tour de force en faisant participer deux anti-sportives à un festival réservé aux sportifs : elle comme affichiste, et moi comme serveuse de rafraîchissements.

Marjorie pousse un soupir. Elle a un air étrange, comme si elle mourait d'envie de dire quelque chose.

— Je... j'aurais dû parler à Charlotte, fait-elle.

— Comment ça ? dis-je.

— Euh... si je l'avais fait, je n'aurais sans doute pas agi comme une poule mouillée.

— Mais tu t'es foulé la cheville ! dit Christine. Ce n'est pas par lâcheté que tu n'as pas participé.

Jetant un regard à Marjorie, Claudia lui dit soudain :

— Tu n'as quand même pas fait exprès de te fouler la cheville ?

— Oui... je veux dire, non ! répond Marjorie. En fait,

je voulais faire semblant de me blesser. Pour ne pas être obligée de participer au festival. Je pense que j'y suis allée un peu fort. Je n'avais pas prévu une vraie foulure.

— Marjorie, dis-je doucement, peut-être que si tu avais avoué dès le début que tu ne voulais pas participer, tu n'aurais pas été obligée de jouer toute cette comédie.

— Oui, je sais…

Un grand silence s'abat sur nous et je décide de briser la glace.

— Enfin, on commet tous des erreurs ! Élise et moi avons décidé que nous ne sommes pas faites pour la synchro et nous ne continuons pas.

— Quoi ! s'exclame Sophie. Mais vous êtes tellement bonnes ! Vous avez travaillé si fort !

Je l'approuve de la tête.

— C'est un sport merveilleux, et je comprends qu'on puisse l'aimer. Mais pour Élise et moi, c'était trop d'efforts et pas assez de plaisir. Elle m'a dit qu'elle commençait même à faire des erreurs en nage régulière, son sport préféré. Moi, je me suis rendu compte que j'avais moins d'énergie pour le ballet.

Bang !

La porte arrière s'est refermée brusquement et Alain s'amène avec un verre de thé glacé pour Christine.

— Où est le citron ? demande-t-elle en regardant le verre.

Et arrive ce qui devait arriver. Alain se redresse et ses yeux jettent des éclairs. On dirait qu'il va exploser, ou pleurer.

Oh ! oh ! Nous nous dispersons sur le terrain, ramassant des objets çà et là, pour laisser Alain et Christine en tête à tête. Alain dépose violemment le verre de Christine sur la table. Du thé gicle partout sur son pantalon, mais ça ne semble pas le déranger.

— Bon, ça suffit ! lance-t-il, en crachant ses mots. Tu vas l'avoir, ton stupide citron. Je vais t'apporter ce que tu voudras, Christine. Mais je te mets au défi pour une autre course — juste toi et moi, sans tes amies autour. Et cette fois, le perdant sera au service de l'autre pendant *deux* semaines.

Christine le regarde, un peu étonnée, je crois.

— Qu'en dites-vous, *Madame* ? dit Alain en prenant un ton sarcastique.

Christine porte lentement le verre à ses lèvres. Avant de prendre une gorgée, elle sourit à Alain et déclare :

— Pari tenu ! Maintenant, va donc changer de pantalon.

Alain regarde le thé qui dégouline sur sa jambe. Il ouvre la bouche. La referme. Aucun son ne sort.

Moi, je me retiens de rire. À côté de moi, je vois sauter les épaules d'Anne-Marie. Marjorie plaque sa main sur sa bouche.

Inutile. Je pouffe malgré moi. Et bientôt, toute la cour résonne de nos rires, le mien et ceux de Marjorie, de Christine, d'Anne-Marie, de Diane, de Sophie et de Claudia.

Et finalement… celui d'Alain !

Quelques notes sur l'auteure

Pendant son adolescence, ANN M. MARTIN a gardé beaucoup d'enfants, à Princeton, au New Jersey. Maintenant, elle ne garde plus que Mouse, son chat, qui vit avec elle dans son appartement de Manhattan, dans le centre de New York.

Elle a publié plusieurs autres livres dans la collection *Le Club des baby-sitters*.

Elle a été directrice de publication de livres pour enfants, après avoir obtenu son diplôme du Smith College.

56

ON NE VEUT PLUS DE TOI, CLAUDIA
Quatre gardiennes fondent leur club

Ann M. Martin

Adapté de l'américain par
Lucie Duchesne

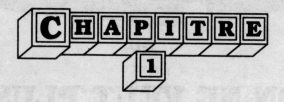

ON NE VEUT PLUS
DE TOI, CLAUDIA

— Claudia, est-ce que tu trouves que Stéphane joue bien ? demande Jérôme Robitaille.

J'entends un air de piano qui vient du salon.

— Qu'est-ce qu'il est censé jouer ?

— Un dadjo, répond Jérôme en haussant les épaules.

— Un dadjo ? Je crois que c'est un « adagio ».

Je ne connais pas grand-chose à la musique, sauf que j'aime certains groupes et certains chanteurs. Et, depuis quelque temps, je commence à aimer la musique de Bach. Sans blague ! Sa musique est extraordinaire, quand on l'écoute vraiment.

Donc, j'entends de nouveau quelques notes, puis un « vlan ! », comme si on avait donné un coup de poing sur le clavier. Stéphane reprend la mélodie, et j'entends encore un « vlan ! ».

— Zut de zut ! crie Stéphane.

— Je crois qu'il ne joue pas très bien, dit Jérôme.

— Tu dois avoir raison.

— Oui, fait Augustin, le petit frère de Jérôme et de Stéphane.

On est lundi après-midi, et je garde les trois frères Robitaille, trois petits rouquins au visage constellé de taches de rousseur. Stéphane a neuf ans ; Jérôme, sept ans ; et Augustin, quatre ans. Stéphane prépare son prochain récital de piano.

Un autre « vlan ! ».

— Zut de zut !

Jérôme et Augustin éclatent de rire. Puis Jérôme regarde l'énorme fusée en Lego qu'il construit avec son frère. Chez les Robitaille, il y a plus de Lego que dans un magasin de jouets.

— J'aimerais jouer du piano ou d'un autre instrument, dit Jérôme.

Il prend des Lego et commence à ajouter une aile à la fusée. L'aile tombe par terre et se défait en morceaux au moment où le chien des Robitaille entre en trombe dans la salle de jeu. Jérôme glisse sur les Lego et culbute sur la table où est placée la fusée.

— Oh ! non ! crie Augustin lorsque la table se renverse et que la fusée s'écrase sur le plancher.

— Est-ce que c'était ma faute ? me demande Jérôme d'un air piteux.

— Mais non, dis-je en essayant de sourire. C'est un peu la faute du chien. Il a peut-être besoin de faire de l'exercice. Pourquoi ne l'amènes-tu pas dehors ? Augustin et moi, nous essaierons de reconstruire la fusée.

— D'accord, répond Jérôme en soupirant. Mais ne t'étonne pas si je fonce dans la remise ou si j'écrase les fleurs des plates-bandes.

Jérôme est un gaffeur-né. Quelquefois, ça lui cause des embêtements, mais il est plutôt de caractère insouciant.

Voici un avant-goût de ce qui se passe dans certains autres livres de cette collection :

#50 Le rendez-vous de Diane

Pour la visite de François, le cousin de Louis, Diane décide de changer d'image. Mais est-ce que François et les autres membres du Club des baby-sitters vont apprécier la nouvelle Diane ?

#51 L'ex-meilleure amie de Sophie

Hélène, l'amie d'enfance de Sophie, est en visite à Nouville. Mais dès son arrivée, rien ne va plus. Pour elle, les distractions de Sophie et son rôle de gardienne d'enfants sont de purs enfantillages. Sophie va-t-elle perdre son amie Hélène ? Est-ce la fin de leur amitié ?

#52 Anne-Marie en a plein les bras

Bébés, bébés, bébés. Anne-Marie n'a que les bébés en tête. Mais, lorsque Louis et elle deviennent les « parents d'un œuf », ils apprennent que s'occuper d'un bébé, ce n'est pas aussi simple que ça !

#53 Un autre poste de présidente pour Christine ?

Est-ce que Christine peut à la fois diriger le Club des baby-sitters, entraîner les Cogneurs et devenir présidente de deuxième secondaire de son école ?

#54 Marjorie et le cheval de rêve

Marjorie adore les chevaux. Ses parents acceptent enfin qu'elle prenne des cours professionnels d'équitation. Cependant, elle découvre vite qu'il est beaucoup plus amusant de rêver de chevaux que de les monter.

ACHEVÉ D'IMPRIMER
EN MAI 1995
SUR LES PRESSES DE
PAYETTE & SIMMS INC.
À SAINT-LAMBERT (Québec)